☆ Marilou Addison ☆

Le journal de Dylane

Chocolat chaud à la guimauve

Catalogage avant publication de Bibliothèque et Archives nationales du Québec et Bibliothèque et Archives Canada

Addison, Marilou

Le journal de Dylane

Sommaire : 2. Chocolat chaud à la guimauve.
Pour les jeunes de 13 ans et plus.

ISBN 978-2-89709-072-2 (vol. 2)

I. Addison, Marilou. Chocolat chaud à la guimauve. II. Titre.

PS8551.D336J68 2015 jC843'.6 C2015-940666-8
PS9551.D336J68 2015

Auteure : Marilou Addison
Couverture, illustrations et mise en pages : Julie Deschênes

Dépôt légal — Bibliothèque et Archives nationales du Québec, 3e trimestre 2015

ISBN 978-2-89709-072-2

Gouvernement du Québec — Programme de crédit d'impôt pour l'édition de livres — Gestion SODEC

Boomerang éditeur jeunesse remercie la SODEC pour l'aide accordée à son programme éditorial.

Nous reconnaissons l'aide financière du gouvernement du Canada par l'entremise du Fonds du livre du Canada (FLC) pour nos activités d'édition.

À mes lectrices,
celles que j'ai eu le privilège de croiser
dans les salons du livre de la province.
Dylane, c'est un peu moi,
c'est aussi un peu vous toutes !

☆ ☆ ☆

Et une pensée pour le groupe
Parents jusqu'au bout...

« Cette nuit, il est tombé DEUX centimètres de neige.

On nous remettra nos bulletins dans moins de TROIS semaines.

Le temps des sloches est bien fini, je vais boire mon PREMIER chocolat chaud à la guimauve ce soir !

Et je pense que j'ai perdu mon **chum** et mon meilleur ami... »

Dimanche 2 novembre

~ 18 h 26 ~

Je fais tourner le petit pot entre mes mains depuis de longues minutes. La minuscule pierre m'hypnotise. Comment un truc aussi dérisoire peut-il faire aussi mal ? Avant de partir de l'hôpital, papa a demandé à pouvoir garder sa fameuse pierre au rein. Les médecins en ont récolté une petite partie pour l'analyser et ils ont mis le restant dans ce pot de pilules.

Il est drôle, mon père… Il trimballe sa pierre comme un trophée. Pourtant, il n'y a pas de quoi s'extasier. *Cream puff*, ce n'est qu'une roche ! De seulement quelques millimètres !

Présentement, papa ronfle comme un tracteur. Mon frère Antony a laissé la porte de sa chambre ouverte, pour s'assurer qu'on l'entende si jamais il a besoin d'aide. Ce qui m'étonnerait beaucoup, car tous les médicaments qu'il a gobés en sortant de l'hôpital l'ont complètement sonné.

Il est revenu à la maison avec des comprimés pour tous les goûts et de toutes les couleurs. On pourrait quasiment ouvrir une pharmacie avec la multitude de pots orange qui traînent près du lavabo dans la salle de bain. D'ailleurs, je ne sais pas comment mon père fait pour avaler tout ça. Avec une toute petite gorgée d'eau, en plus ! Moi, je dois réduire mes comprimés en poudre et les mélanger avec du jus. J'ai déjà essayé avec de l'eau et on dirait que je mange de la craie écrasée, c'est dégueu. Yark !

Fred me dit souvent que je ne devrais pas les prendre de cette façon, que c'est moins efficace ou que ça risque de me donner mal au ventre. Mais je m'en fiche. Si je les avale entiers, c'est certain qu'ils vont rester bloqués dans ma trachée et que je vais mourir étouffée. J'imagine déjà les gros titres :

ADOLESCENTE TUÉE PAR UN TYLENOL.
SON MAL DE TÊTE AURA EU RAISON D'ELLE.
ELLE AVAIT UN SI BEL AVENIR D'ATHLÈTE DEVANT ELLE.
INCAPABLE D'AVALER SA PILULE, ELLE SOUFFRE DURANT DE LONGUES MINUTES AVANT DE MOURIR ASPHYXIÉE.

En plus d'avoir à faire le deuil de ma mort, ma famille aurait aussi à gérer la honte de celle-ci…

Par chance, je n'ai pas à en prendre très souvent. Même quand j'ai mes règles, c'est à peine si mon ventre me fait mal. Ce n'est pas le cas de ma cousine Mirabelle, qui se tord de douleur sur son lit et qui se lamente sans arrêt. Parfois, je me demande si elle n'en rajoute pas un peu…

Je sais bien que je ne suis pas charitable, quand je pense comme ça, mais *come on* ! Elle ne fait pas une crise d'appendicite, elle est juste « dans sa semaine », comme dirait mon père. Il accompagne son commentaire de guillemets en levant les doigts de chaque côté de son visage et en les repliant. Comme si les termes « dans sa semaine » avaient un sens caché… Ridicule.

Bref, Mira a besoin d'avoir une prescription spéciale d'énormes pilules aussi grosses que mon POUCE ! Sérieux ! Et elle gobe ça comme si c'était parfaitement normal. Quand je n'ai pas le choix d'en avaler un tout rond, je garde le comprimé sur ma langue pendant au moins DIX minutes ! Je le fais tourner dans l'eau, je gonfle les joues, j'avale l'eau… et je rate invariablement mon coup si quelqu'un me parle au même moment. Je dois donc aller me cacher dans la salle de bain pour effectuer mon petit manège.

Là, j'essaie de décrypter les noms des médicaments que mon père doit prendre… Ce sont des noms étranges, avec des voyelles et des consonnes qu'on utilise rarement. Du genre « Naproxen » ou « Sandoz Tamsulosin ». En tout cas, celui qui a inventé ces médicaments ne s'est pas forcé pour leur trouver des noms faciles à prononcer ou à retenir !

Mais ce qui me fascine le plus, ce sont les effets secondaires… Étourdissements, maux de cœur, maux de tête, fatigue, etc. Ça ne donne pas le goût de les essayer. Pas que je veuille les essayer ! Je me suis mal exprimée. Mais disons que si j'étais dans la position de mon père, j'y penserais deux fois avant de les prendre.

~ 18 h 41 ~

Tu as dû remarquer, hein… ?

Je fais tout pour ne pas penser aux derniers jours.

Et à Colin. Ou à Malik…

Mais c'est plus fort que moi.

Je me mouche et je reviens.

~ 18 h 44 ~

Bon, je reprends. Je n'ai pas tellement le goût de reparler des événements de vendredi dernier, mais… Quand on doit faire le deuil de quelque chose ou de quelqu'un, il y a plusieurs étapes à passer, il paraît. Et puisque je dois faire le deuil de DEUX personnes (mon *chum* et mon meilleur ami), je sens que ce ne sera pas facile.

Je sais maintenant que tout est terminé, car, lorsque je suis revenue chez moi samedi matin, j'ai tout de suite appelé mon *chum*. Enfin… mon ex-*chum*. Sauf que Malik n'a pas voulu me parler. J'ai bien tenté d'amadouer sa sœur, au téléphone, mais elle avait vraiment l'air bête. Il doit lui avoir tout raconté et elle me déteste sûrement. Elle aussi…

Pas moyen d'écrire à Malik non plus. Mes courriels sont restés sans réponse. J'ai voulu emprunter de nouveau le cellulaire d'Anto. Mais il a dit que je n'avais qu'à utiliser le téléphone de la maison. J'ai eu beau lui expliquer mon problème, il ne voulait rien comprendre ! Je te résume un peu notre conversation :

Moi : Je ne veux pas l'appeler, je veux lui écrire !

ANto (le borné) : Tu n'as qu'à utiliser l'ordinateur, alors. Les courriels, ça sert à ça.

Moi : Mais non ! Il ne me répond pas. Je veux juste lui écrire un texto !

ANto : Penses-tu vraiment que ton chum va lire tes textos, s'il ne t'écrit

même pas de courriel ?! Et d'ailleurs, qu'est-ce que tu as bien pu lui faire, pour qu'il t'ignore comme ça ?

Moi : Pas de tes affaires ! Ce sont des trucs de… d'ados !

ANto : Hum… On fait un deal, alors. Tu me dis ce que tu as fait et je te le prête pour écrire UN SEUL texto.

Moi : C'est méga chien, ça !

ANto : C'est à prendre ou à laisser. Tu viendras me voir si tu changes d'avis…

Et je n'ai pas changé d'avis. Pas question que je lui raconte ce que j'ai fait ! J'arrive à peine à l'accepter moi-même… Moi, le chantage, je n'endosse pas ça du tout !

En plus, embrasser Colin alors que je sortais avec Malik était la chose la plus idiote que j'ai faite de TOUTE ma vie, je pense. Surtout quand on sait que Colin s'est dépêché de me dire que c'était une erreur, après avoir tout déballé à mon *chum*. Non mais de quoi il se mêlait, lui !? On croirait presque qu'il avait manigancé son coup. Étant donné que

Colin n'a jamais porté Malik dans son cœur, ça se pourrait très bien…

D'ailleurs, en ce qui concerne Colin, c'est compliqué. Je suis vraiment fâchée contre lui. Alors quand il essaie de m'appeler, je fais semblant d'être occupée, endormie ou absente. Et je ne le rappelle pas.

J'ai trop de peine, pour le moment. Et de colère. Ces deux émotions sont mélangées en moi et je n'arrive pas à les séparer. Alors je suis peinée-fâchée. On pourrait même inventer un nouveau mot pour décrire cette sensation : « peinchée » ou « fâchnée ».

Hum… pas sûre… Peu importe, au fond. Tout ça pour dire que je donnerais n'importe quoi pour pouvoir revenir en arrière.

~ 20 h 03 ~

OK, j'ai succombé au chantage…

C'était la seule façon de pouvoir écrire ce fameux texto à Malik ! Évidemment, Anto s'est ensuite fait un plaisir de me dire que j'avais mal agi. Comme si je ne le savais pas ! *Cream puff !*

ANto : Donc… si je résume… Tu es allée au party d'Halloween de ton école. Tu as dansé avec Malik.

Ensuite tu l'as planté là pour aller aux toilettes.

Moi : Non, attends, je n'avais pas envie. Je voulais juste chercher Colin dans l'école à cause de sa chicane avec Mirabelle. Mais je ne voulais pas le dire à Malik, parce qu'il ne s'entend pas vraiment bien avec Colin.

ANto : Avec raison ! Donc, je reprends... Tu es revenue sur la piste de danse et tu en as profité pour EMBRASSER ton meilleur ami !!!

Moi : C'est sûr que si tu présentes les choses comme ça, j'ai l'air de la méchante, mais je n'avais rien prévu du tout !

ANto : Attends, laisse-moi finir... Là, tu as dû partir pour l'hôpital à cause de la pierre au rein de papa.

Moi : À ce moment-là, je ne savais pas qu'il avait une pierre. On pensait tous que c'était super grave !

ANto (en me faisant de gros yeux): Chuuuuut ! C'est moi qui résume ta soirée... Donc, pendant qu'on était à l'hôpital, tu as reçu un texto de Mirabelle te disant que Colin et Malik étaient en pleine discussion. Puis, texto final de ton chum pour te dire qu'il était au courant de votre baiser, à Colin et à toi... Wouah ! Apprendre par un autre que ta blonde te trompe, c'est jamais cool, tu sais.

Moi (total exaspérée) : MAIS J'ÉTAIS PAS LÀ ! JE NE POUVAIS PAS LUI DIRE MOI-MÊME !!!

ANto : Arrête de crier, ou je ne te prête pas mon cell !

Moi (après deux graaaaaandes inspirations pour arriver à me calmer) : Scuse. Donc, tu me le prêtes ?

ANto (en haussant les épaules) : Mouais... mais il va falloir que tu le

recharges, parce que ma batterie est à terre.

Moi : QUOI ?!? T'aurais pas pu le dire avant ???

En ce moment, j'attends que le cellulaire soit assez rechargé pour pouvoir composer mon texto. C'est donc bien long, recharger ça !

~ 21 h 28 ~

Je n'en peux plus d'attendre ! C'est ridicule, son affaire. Anto devrait changer de cellulaire. Je le lui ai dit, mais il m'a juste répondu que si je n'étais pas contente, je n'avais qu'à m'en acheter un moi-même ! *Cream puff*, il ne comprend vraiment rien à rien.

Là, j'ai peur que Malik soit couché. Bon, pas vraiment, car je sais qu'il se couche tard. Ça lui arrivait souvent de m'écrire des courriels vers minuit et je ne les lisais que le lendemain matin, à mon réveil. Il doit sûrement être encore debout. OK, j'y vais, je lui écris mon fameux texto. De toute façon, je ne peux en écrire qu'un seul (condition posée par mon frère). La batterie devrait durer assez longtemps pour ça.

Malik, faut qu'on se parle.

Je suis désolée.

Appelle-moi svp.

Ça devrait faire le travail. C'est court et ça veut tout dire. En plus, s'il m'appelle maintenant, je pense que ça ne dérangera pas mon père, qui ronfle toujours. Peu de risque que ça le réveille…

Je pèse donc sur Envoyer. Et… et… Voyons, c'est long avant que le message parte ! Et… et…

CREAM PUFF! Le cellulaire vient de s'éteindre !! Charge insuffisante !!! Je vais étriper Anto !!!!

~ 23 h 59 ~

Mes yeux peinent à rester ouverts… Je suis hyper fatiguée, mais il fallait vraiment que je réussisse à envoyer ce fichu texto. Et cette fois, je pense que ça y est. La batterie devrait être assez rechargée.

Donc, je recommence. Mes doigts sont lourds sur les touches du cellulaire…

Colin, faut qu'on se parle.

Je suis désolée.

Appelle-moi.

J'appuie sur Envoyer. Et… Ouf, le message vient de partir. Je dépose le cellulaire sur ma table de chevet. Maintenant, je peux enfin m'enrouler sous les couvertures et me laisser sombrer dans le sommeil… Je suis si fatiguée.

Oups! Le téléphone vibre! C'est sûrement Malik qui me répond! Je saute sur l'appareil et lis ce qu'il vient de m'écrire. Il était temps qu'il se manifeste, lui!

Oh là là… Je pense que je viens de faire une méga gaffe, moi. Je te retranscris son message:

Je ne suis pas Colin.

Si tu veux lui parler,

Ta ka l'appeler.

Laisse-moi tranquille.

Je jette un coup d'œil à mon propre message… *Cream puff!* Je me suis trompée de nom!!! J'ai appelé Malik par le nom de Colin!!! Je ne suis vraiment qu'une idiote, quand je veux! Une idiote hyper fatiguée! J'aurais dû attendre à demain pour lui écrire, finalement.

J'espère juste qu'à l'école je réussirai à le voir pour lui expliquer mon erreur…

Lundi 3 novembre

~ 16 h 01 ~

Malik est juste troooop fru contre moi. En termes polis, disons qu'il… ME SOUHAITERAIT DE CREVER DANS D'ATROCES DOULEURS !!! Bref, je ne pense pas qu'on va revenir ensemble. Pas que j'y avais vraiment songé, mais disons que l'option Malik vient de prendre le bord. C'est qu'il était quand même un bon *chum*. Attentif, gentil, toujours disponible, et surtout j'aimais bien discuter avec lui. Alors j'aurais au moins voulu qu'on reste amis.

Je sais que ça fait cliché de dire à notre ex qu'on peut rester amis, mais moi, je le pensais réellement. Comme il est aussi sportif que moi, peut-être qu'on aurait pu faire des activités ensemble ? Pas du hockey comme lui, ça c'est clair (je n'ai jamais été très douée sur des patins), mais peut-être que j'aurais pu le convertir au tennis… qui sait…

Ce matin, j'ai réussi à attraper mon autobus à l'heure. Il faut dire que, malgré ma fatigue, j'ai eu beaucoup de difficulté à trouver le sommeil.

Je n'arrêtais pas de réfléchir à la façon dont j'allais pouvoir réparer ma gaffe (erreur sur le prénom de Malik, non mais quelle abrutie je fais !) :

* Je m'imaginais me mettre à genoux devant lui.

* Je lui courais après dans les corridors de l'école en m'excusant.

* Je faisais passer un message à l'interphone : on voit toujours ça, dans les comédies romantiques. Le gars fait l'imbécile et, pour que son amoureuse lui revienne, il chante une chanson ultra mignonne devant toute l'école. La fille trouve ça cute et lui pardonne tout. Sauf que je chante hyper mal et tout le monde aurait ri de moi…

* Je lui envoyais des fleurs : non, ce sont les gars qui envoient des fleurs, d'habitude. Perso, je n'aimerais pas en recevoir, car je suis allergique au pollen (et aux chiens) et ça risquerait de me faire éternuer sans arrêt.

Bref, j'ai finalement réussi à m'endormir et j'ai rêvé que je devais chanter à genoux devant une foule énorme avec un gros bouquet de fleurs dans les mains. Et tout ce que j'arrivais à faire, c'était d'éternuer au rythme de la musique, pendant que Malik se sauvait au loin.

Pa-thé-ti-que…

Rendue à l'école, je n'ai pas eu besoin de chercher Malik bien longtemps. Puisqu'il est ami avec le « nouveau » *chum* de Mirabelle, Émile le débile (OK, c'est pas très gentil, mais je ne comprends absolument pas ce que Mirabelle lui trouve !), les deux gars étaient à la case de ma cousine avec celle-ci. Je me suis donc approchée pour la rejoindre, mais Mira m'a fait de gros yeux. Comme j'ai continué à avancer, elle a soupiré et elle m'a prise par le bras, avant de m'entraîner un peu plus loin.

Puis, elle m'a expliqué que Malik était très déçu de moi. (Ça, je le savais déjà, mais je n'aurais pas utilisé le terme « déçu », par contre.) Qu'il ne voulait plus me voir. (Ça aussi, c'était de la vieille info…) Et que mon texto de la veille avait fait déborder le vase. Sauf que, et c'est là que ça devient total injuste, Mira sort avec Émile, qui se tient avec Malik…

Tu me vois venir ?

Exactement ! Quand Mira sera avec son *chum*, je n'aurai plus le droit d'aller la voir !! Elle dit que ce ne serait pas très respectueux pour son Émile et pour Malik !!! Alors elle me *flushe* ! Pas tout le temps, c'est sûr, mais presque ! Parce qu'elle passe quasiment TOUT son temps à embrasser son nouveau *chum* dans les casiers. Je ne sais d'ailleurs pas comment Malik fait pour les endurer…

J'ai voulu argumenter avec ma cousine, et je te retranscris l'essentiel de notre conversation :

Moi : Mais c'est pas juste, Mira ! Pourquoi c'est moi qui devrais m'en aller ?

Mira : Parce que c'est toi qui as mal agi. Il me semble que c'est évident.

Moi : OK, sauf que c'est pas comme si j'étais la seule à faire des erreurs. Toi aussi, tu trompais Colin avant de le laisser pour Émile.

Mira : Une minute ! Je t'avais demandé de dire à TON ami que je voulais casser ! Ce n'est pas ma faute si ça t'a pris autant de temps !

Moi : Mais c'était TON **chum**, pas le mien ! C'était à toi de faire ce sale boulot, pas à moi !!

Mira : De toute façon, je ne vois pas pourquoi on s'obstine. Tu n'as qu'à aller dîner avec Colin quand je serai avec Émile. Je pensais que tu allais sortir avec lui aussitôt que Malik ne serait plus dans le décor...

Moi : Pas du tout ! Colin c'est... c'est juste un ami.

Et là, une lumière s'est allumée dans ma tête. Mirabelle me faisait payer le fait que j'aie embrassé Colin. Après tout, elle venait juste de le laisser. Peut-être qu'elle n'a pas aimé qu'il se passe quelque chose entre lui et moi... Je voulais lui en parler, mais elle a repoussé ses cheveux derrière ses épaules et elle est repartie rejoindre Émile le débile.

Je me suis retrouvée toute seule, comme une belle dinde ! Une chance que la cloche a sonné à ce moment-là, parce que je n'aurais pas su quoi faire. J'avais de la peine, mais je ne voulais pas trop le

montrer. Parfois, je trouve que Mirabelle ne pense vraiment qu'à elle-même.

En tout cas, au dîner, puisque je n'avais aucune place où manger et que ça ne me tentait pas d'aller rejoindre Ariane et sa gang (qui prennent toutes pour Mira, évidemment), et que j'avais peur de croiser Colin, je suis allée m'installer dans les casiers. Une fois que mon sandwich a été avalé en vitesse, j'ai filé vers la bibliothèque, ce qui m'a permis d'étudier en avance pour l'examen d'histoire.

Au moins, il y a un avantage, quand on n'a pas d'amis : on a plus de temps pour faire ses devoirs et on devient meilleur à l'école.

Je sens que je vais devenir une vraie bolle…

Mardi 4 novembre

~ 7 h 01 ~

Cream puff! Il a neigé, cette nuit. Au moins DIX centimètres ! Il va falloir que je fouille dans le sous-sol à la recherche de mes bottes d'hiver. Et mon manteau ne sera jamais assez chaud… Si au moins papa se réveillait avec nous, le matin, il pourrait m'aider. Mais non ! Il est en congé de maladie ! Maladie… C'est vite dit. Il a juste eu une minuscule pierre. Et elle n'est même plus là ! Je trouve que mon père est un peu geignard.

~ 7 h 29 ~

Papa dit que c'est moi qui me plains pour rien. Selon lui, il n'est tombé que deux centimètres, ce matin, et non dix. Et il ne fait même pas froid. À peine zéro. Alors je n'ai pas besoin de mettre mon gros manteau. Mais selon moi, il se trouve des excuses pour ne pas avoir à se lever.

Quand je suis allée le voir dans sa chambre, il a à peine ouvert les yeux, a marmonné un truc et a fini par attraper la télécommande de la télévision.

(Il en a une dans sa chambre, le chanceux.) C'est là qu'il a vu la température et qu'il m'a recommandé de m'habiller comme tous les autres matins. Que j'aurais bien le temps de chercher mon manteau et mes bottes ce soir. Car, de toute manière, tout va fondre durant la journée.

IL N'A MÊME PAS MIS LE NEZ DEHORS !!!

Comment peut-il savoir s'il fait vraiment froid ou pas ? *Anyway*, la température, ça ne veut rien dire du tout. À l'automne, quand il fait un ou deux, on gèle carrément, alors qu'au printemps, dès que le thermomètre indique ce chiffre, on se dépêche de détacher notre manteau parce qu'on a chaud. D'après moi, c'est parce que notre corps n'est pas habitué au retour de l'hiver…

Bref, moi je trouve qu'il fait juste TROP froid. Alors je vais retourner fouiller dans le garde-robe du sous-sol. Pas question de partir d'ici sans mon manteau !

~ 7 h 51 ~

Évidemment, j'ai raté l'autobus. Au moins, j'ai mon manteau sur le dos ! Mais le pire, dans tout ça, c'est que mon père est tellement en colère contre moi qu'il refuse d'aller me reconduire à l'école en voiture. Il dit qu'avec mon manteau, je suis parfaitement équipée pour m'y rendre à pied !

La vie est injuste! Papa devrait me féliciter d'être une ado responsable qui ne pense pas qu'à sa coupe de cheveux et qui accepte de sacrifier la mode au confort et à la chaleur... D'ailleurs, si je dois marcher pour me rendre à la poly, il va falloir que je me trouve une meilleure tuque. Et des gants plus chauds. Peut-être même un foulard...

Oh, j'entends les pas de mon père dans le couloir. S'il est debout, c'est peut-être qu'il a changé d'idée? J'aurai sûrement droit à mon *lift*...

~ 16 h 35 ~

Même en convalescence, mon père n'a rien perdu de son côté désagréable! Je n'aurais jamais dû m'inquiéter autant pour lui, à l'hôpital! Ce matin, il s'est levé et m'a crié dessus!! Oui, oui, il était fâché de me trouver dans ma chambre, à écrire dans mon journal au lieu de me dépêcher! Et il m'a forcée à aller à l'école à pied, sans foulard! Je ne me suis pas gênée pour lui dire ce que je pensais de son attitude:

> **Moi** (sur le seuil de la porte, SANS foulard): Si jamais j'attrape le rhume à cause de toi, tu vas avoir l'air fin!

Papa : Ne me parle pas sur ce ton, Dylane ! Et on n'attrape pas un rhume quand il fait cinq degrés et qu'on ne porte pas de foulard. Tu n'as qu'à remonter ton col de manteau.

Moi : Ce n'est pas pareil ! Et il fait ZÉRO degré !

Papa : Mais pas du tout. La neige est en train de fondre, dans les rues. Regarde un peu autour de toi. Tu paniques pour rien. Décidément, tu n'es pas une fille d'hiver, toi !

Moi : Ça n'a rien à voir. Une fois bien habillée, je suis correcte pour affronter n'importe quelle température. En plus, je suis certaine que tu n'as pas calculé le facteur vent.

Papa : Ça suffit. Tu es déjà assez en retard comme ça, dépêche-toi donc un peu !

Moi : Tu sais que ça va me prendre presque une heure à me rendre ?!

Si tu acceptais de venir me reconduire, je manquerais à peine les premières minutes de mon cours de français...

Papa : Pas question. Tu dois te responsabiliser un peu. On croirait que tu le fais exprès, de rater ton autobus presque tous les matins !

Moi : Pfff... Y a rien de *cool* à rater son autobus. En tout cas, tu me retardes, là, faut que j'y aille.

C'est clair qu'il s'est senti coupable de me laisser partir comme ça, car il a appelé à l'école, un peu plus tard, pour s'assurer que j'étais bien rendue. Je le sais, car j'ai croisé le directeur, dans le corridor, en me rendant à la bibliothèque, et il m'a fait quelques recommandations pour réussir à ne plus rater mon autobus. Comme si j'en avais besoin…

Faudrait que j'attrape une bonne grosse grippe, question de montrer à mon père qu'il a eu tort… Je vais voir comment je peux arranger ça. En attendant, j'ai un entraînement de tennis, ce soir, faut que je me dépêche. Et comme la neige

a fondu pendant la journée et que la température a augmenté, pas besoin de mettre mon manteau ce soir.

~ 19 h 37 ~

J'ai les mains encore complètement gelées. C'est que, lorsque la noirceur est tombée, après mon entraînement, et que je suis revenue chez moi, il faisait ultra froid ! Pire que ce matin !! Et je n'avais même pas mon manteau d'hiver !!!

En plus, en mettant les pieds dans la maison, je me suis précipitée dans la salle de bain, pour me faire couler un bon bain chaud. Mon père est venu me rejoindre et il m'a dit :

Papa : Franchement, Dylane ! Tu aurais pu mettre ton manteau, ce soir. Toi qui as fait une crise ce matin parce qu'il faisait cinq degrés. Là, il fait sous zéro et tu ne mets rien dans ton cou ou sur ta tête. Tu es dure à suivre, tu sais !

Je n'ai rien ajouté. En partie parce que mes dents s'entrechoquaient les unes contre les autres et que ça m'empêchait de bien articuler. Mais aussi

parce que son commentaire m'a vraiment fait enrager ! *Cream puff!* Je ne sais pas ce que j'aurais donné pour être mieux vêtue ! Comment j'aurais pu le savoir, moi, que la température allait chuter de la sorte !?

Chose certaine, après mon bain, je me prépare mon premier chocolat chaud à la guimauve de la saison. Ma recette spéciale. Je sens que ça va me faire du bien…

Recette

Chocolat chaud à la guimauve

(avec un soupçon de menthe)

INGRÉDIENTS :

- 1 c. à soupe de miettes de cannes de bonbon finement écrasées
- 500 ml de lait
- ⅓ de tasse de pépites de chocolat (ou morceaux de chocolat)
- 4 guimauves

PRÉPARATION :

Mettre les bonbons écrasés dans le fond d'une tasse.

Faire chauffer doucement le lait dans une casserole.

Dès les premiers bouillons, ajouter les pépites de chocolat et deux guimauves.

Faire mijoter jusqu'à ce que le chocolat soit fondu.

Brasser constamment (avec un fouet, cela rend le mélange mousseux).

Servir le chocolat chaud dans la tasse contenant les bonbons écrasés et ajouter les guimauves restantes.

Touche d'éclat :

Donnez un *twist* bien spécial à votre chocolat chaud en déposant une canne de bonbon dans la tasse en guise de bâtonnet pour mélanger.

Régalez-vous !

~ 20 h 43 ~

Pendant que je me préparais mon chocolat chaud, ma mère m'a appelée sur Skype. Pour m'annoncer une grande nouvelle ! En fait, elle n'a pas voulu me dire LA nouvelle en question, mais elle m'a promis de me la dire… EN PERSONNE ! Oui, oui, je vais enfin voir ma mère pour vrai !

Comme elle habite à New York, ce n'est pas évident de se parler et l'ordi fait bien le travail pour nous permettre de nous voir, mais… j'ai hâte de la serrer dans mes bras! Ma mère va donc venir nous rendre visite dans trois semaines. Juste à temps pour la remise des bulletins. Puis, je repartirai avec elle pour une grosse semaine !

Il faudra demander la permission à mes enseignants, mais mon père a dit qu'il s'en chargerait. Une semaine à New York ! Ça va être génial. Et avec tout ce que j'ai vécu dernièrement, ça va vraiment me faire du bien de m'éloigner un peu de mon quotidien et de mes problèmes.

Mais ma mère m'a dit que ce ne serait possible que si j'avais de bonnes notes à mon bulletin. De ce côté, je ne pense pas que ce soit un problème, étant donné toutes les heures que je passe à la biblio… Bon, il y a bien en maths où je tire un peu de la patte. Si Colin était encore mon ami,

je pourrais lui demander de m'aider, comme il le faisait avant.

Sauf que c'est hors de question ! J'ai fait une croix sur Colin. Pour un temps, du moins. Aujourd'hui encore, j'ai réussi à le semer dans l'école. Il a bien tenté de m'appeler ce soir, mais j'étais à mon entraînement. Je ne sais pas combien de temps je vais réussir à le maintenir à distance. Il faut qu'il réfléchisse à ce qu'il a fait ! À cause de lui, j'ai eu de la peine, j'ai perdu mon *chum* et ma cousine me fait la gueule.

Oh, mon ordinateur vient de sonner. Je l'avais laissé ouvert après l'appel de ma mère. Je vais aller voir qui m'écrit.

~ 21 h 01 ~

C'était Mirabelle. Je te retranscris son message.

À : Dydy2000@mail.com
De : BelleMirabelle@mail.com
Date : Mardi 4 novembre, 20 h 52
Objet : Je te cherchais, aujourd'hui !

Dylaninou !

Où t'étais passée, ce midi ? Je t'ai cherchée pendant des heures ! Je voulais qu'on dîne ensemble. Émile voulait absolument participer au tournoi de hockey cosom organisé par l'école pendant le dîner et il m'a plantée là ! Je me suis retrouvée toute seule. J'avais l'air d'une idiote, rejet et sans amis.

Une chance que j'ai croisé Ariane. Comme le soleil avait fait fondre la neige et qu'il faisait encore beau, les filles sont allées manger au restaurant. J'avais pas trop de sous, alors je t'en aurais empruntés, mais pas moyen de te trouver nulle part. Finalement, les filles se sont cotisées pour me payer des frites. C'est mieux que rien...

De toute manière, avec mon régime, il ne faut pas que je mange trop.

Demain, Émile sera encore à son tournoi. Tu fais quoi, pour le dîner ? J'ai pas le goût de te chercher comme aujourd'hui. On se retrouve aux casiers ? Il y a des tas de trucs dont je veux te parler et tu me manques troooop !

À demain !

Bisounous !!

XXX

Mirabellou

Pourquoi j'ai cette désagréable impression de n'être qu'un bouche-trou dans la vie de ma cousine…?

Jeudi 4 novembre

~ 17 h 28 ~

J'ai parlé avec Colin, aujourd'hui. Pas eu le choix. Il est venu cogner à ma porte, il y a vingt minutes. C'est Fred qui lui a ouvert et qui l'a fait entrer. Moi, je ne m'attendais pas du tout à le voir, mais quand il a passé le seuil de ma chambre, je suis restée figée.

Je te résume notre discussion :

Colin : Salut… tu ne m'appelles plus. T'es fâchée ?

Moi : Qu'est-ce que t'en penses ?

Colin : Mais pourquoi ? On est amis, on peut se parler franchement, non ? Si je t'ai fait quelque chose, t'as juste à me le dire…

Moi : Je ne comprends pas pourquoi tu as tout raconté à Malik ! C'était pas cool.

Colin : Ben là ! T'étais pas pour continuer de sortir avec lui après... ben après notre... **Anyway**, tu ne l'aimais pas, c'est évident !

Moi : Je pense quand même que c'était pas tes oignons ! C'était à moi de lui parler. Maintenant, il est super fru et je ne peux même plus me tenir avec Mirabelle, parce qu'elle passe son temps avec Émile et Malik.

Colin : Ouin... j'avais pas pensé à ça. Je m'excuse. Mais tu ne vas pas continuer à me faire la baboune pour ça ! On est amis depuis bien trop longtemps pour que tu me rayes de ta vie, il me semble. Je... je m'ennuie de toi, tsé...

Moi : Moi aussi... sauf que je suis encore trop fâchée. Pis t'aurais jamais dû m'embrasser. C'était bien plus simple avant !

COLIN : Je le sais. C'était une erreur. Écoute, je vais te laisser du temps. Quand tu te sentiras prête à me pardonner, fais-moi signe. Je serai pas bien loin. OK ?

J'ai hoché la tête et il est parti, la mine piteuse. Il a fallu que je me retienne à deux mains pour ne pas le rappeler. Sauf qu'il faut que je tienne mon bout. Colin doit comprendre qu'il ne peut pas agir de la sorte et s'en sortir sans aucune conséquence ! Mais, au moins, je sens que ça finira par s'arranger, entre nous deux. Ce qui me soulage énormément, parce que je ne me serais pas vue passer ma vie en mettant une croix sur notre amitié.

Parlant d'amis… Je voulais te raconter ma rencontre avec une fille que je croise tous les jours à la bibliothèque, depuis lundi. Elle y est tellement souvent qu'on croirait qu'elle y habite ! Sérieux, elle est là le matin très tôt, durant tout le midi et aussi à la fin de la journée !

Ce qu'elle y fait ? Elle lit…

Genre TOUT LE TEMPS !

Je ne déteste pas les livres, mais je ne suis certainement pas aussi passionnée qu'elle ! Un midi où je jetais un œil sur le dernier roman qu'elle avait entre les mains (en plus, elle lit plus vite que son ombre, cette fille, parce qu'elle change de livre tous les jours), elle s'est rendu compte de mon manège et elle m'a lancé un regard sévère. Je suis retournée au devoir que j'étais en train de terminer, mais c'était plus fort que moi, il fallait que je sache ce qu'elle lisait. Alors dès que je sentais qu'elle était trop concentrée pour me regarder, je m'étirais le coup pour essayer de voir la couverture.

Bon, ça n'a pas pris dix minutes qu'elle a relevé la tête et a froncé les sourcils de nouveau. Après peut-être une demi-heure, elle a fini par se lever et elle est venue s'asseoir à côté de moi. Comme nous étions installées près du comptoir de la bibliothèque, il fallait qu'on chuchote, mais en gros voici ce qu'on s'est dit :

Moi : Euh, scuse, je voulais juste voir ce que tu étais en train de lire.

Fille de la biblio : Oui, c'est ce que j'ai remarqué. T'es pas tellement subtile. Je lis du Maupassant.

Moi : Maupa-quoi ?

Fille de la biblio : Maupassant. Son roman **Le Horla**. Super bon. Tu aimerais l'avoir, après moi ?

Moi : Euh, non, non... Merci quand même. (Voir si je vais lire son Maupatruc alors que je dois m'entraîner plusieurs heures par semaine ! En plus, l'image de la couverture est zéro attrayante !) Tu t'appelles comment ?

Fille de la biblio qui lit du Maupatruc : Annabelle Perreault. Mais tu peux m'appeler Anna. Toi, tu es Dylane, je crois... La fille qui joue au tennis, c'est ça ?

Moi : Euh, oui... On se connaît ?

Fille qui s'appelle Annabelle : On est dans la même année. Mais pas dans les mêmes cours.

Là, il y a eu un petit silence (bien accueilli par la bibliothécaire, qui commençait à nous regarder croche parce qu'on chuchotait TROP fort, selon elle), avant qu'elle ne reprenne :

Annabelle : Ça te dirait de venir chez moi, ce soir ? On pourrait étudier ensemble ?

Moi (en essayant de me trouver l'excuse parfaite) : C'est que je… j'ai un entraînement de tennis. Désolée.

Annabelle : Demain, alors ?

Moi (en ayant un flash) : Est-ce que tu es bonne en maths ?

Annabelle : Ce n'est pas ma matière préférée, mais ça va.

Moi : Dans ce cas, OK, si ça ne te dérange pas trop, j'aimerais bien que tu m'aides à faire les exercices du manuel. J'ai vraiment de la misère et l'examen est dans moins d'une semaine. Tu habites où, au juste ?

Annabelle : À deux minutes de marche de l'école. Ce n'est pas compliqué du tout. J'ai vraiment hâte d'étudier avec toi. Je retourne m'asseoir plus loin pour lire. À demain !

Elle m'a fait un petit salut de la main et elle s'est relevée, super énervée. Et là, je me suis demandé si c'était réellement une bonne idée d'aller chez elle demain. Imagine si c'est une folle finie qui kidnappe les autres jeunes dans son sous-sol. OK, c'est peu probable, mais il ne faut jamais aller chez une inconnue sans prendre quelques précautions. Tu as vu comme elle ne m'a pas donné son adresse, aujourd'hui ? Je ne pourrai même pas avertir quelqu'un de l'endroit où je me trouverai…

~ 21 h 54 ~

Je suis hyper stressée à l'idée d'aller chez Annabelle. Peut-être que si je me renseignais un peu sur elle… Oui, bonne idée ! Je vais aller faire un tour sur Internet pour voir si elle a un profil Facebook.

Donc… je tape son nom et tombe sur au moins cinq filles portant ce nom. Je ne la reconnais sur aucune des photos. À moins que son profil soit le seul où il n'y a pas de photo. Je clique dessus et tombe sur une page privée où je ne peux

quasiment voir aucune information. Le seul détail qui me confirme que c'est sûrement sa page, c'est son lien d'amitié avec une autre fille de l'école que je connais.

Je ne suis pas plus rassurée.

Un bruit de pas dans le corridor me fait justement sursauter. Je suis trop nerveuse. Je vais voir ce que c'est et je reviens.

~ 22 h 11 ~

C'est bon, ce n'était que Fred. Je lui ai parlé d'Annabelle, la fille de la biblio qui lit du Maupatruc. Il m'a juste dit que j'avais trop d'imagination et d'arrêter de fabuler. *Cream puff!* Je ne « fabule » pas ! Je vérifie, c'est tout ! Mais il n'avait pas l'air dans son assiette, mon frère, alors je lui pardonne. Je lui ai demandé ce qui le chicotait, mais il a marmonné que c'était trop compliqué et m'a dit de me mêler de mes affaires. On a failli se chicaner.

Je vais me coucher. Je suis fatiguée. Cher journal, si je me fais kidnapper et que je disparais, sache que tu m'as été d'un grand secours dans les épreuves comme dans les joies…

Vendredi 7 novembre

~ 7 h 12 ~

Je ne peux pas te laisser derrière moi, cher journal. C'est décidé, je t'apporte chez Annabelle. On verra bien ce qui arrivera là-bas…

~ 13 h 14 ~

Mirabelle a refusé de me prêter main-forte. En plus, comme on mangeait enfin ensemble ce midi, elle a quasiment recraché tout son repas dans mon visage quand je lui ai dit où j'avais l'intention d'aller, ce soir. Elle prétend qu'Annabelle n'est pas du tout une bonne influence pour moi. D'abord parce qu'elle ne se maquille jamais (et alors ! moi non plus !), s'habille avec des vêtements affreux (je m'en fiche un peu, je n'avais même pas remarqué) et ne fait que passer son temps à la biblio (ça, c'est vrai…). Et finalement, elle n'a aucune amie, si ce n'est quelques rejets, à l'école.

J'ai tenté de défendre Annabelle, alors qu'au fond de moi j'étais à moitié d'accord avec ma cousine, mais je n'aime pas la voir critiquer les autres sans les connaître. Sauf que Mira a fini par me dire que je pouvais bien faire ce que je voulais, qu'elle s'en moquait, tant que je ne l'oblige pas à être amie avec cette fille elle aussi. Je n'y avais même pas songé, en fait, alors j'ai promis, évidemment.

Puis, Mira avait des trucs plus « personnels » à me dire, alors nous sommes allées dans les toilettes des filles, pour avoir un peu d'intimité. Elle a commencé par me confier qu'elle était dans sa semaine rouge (encore une expression pour dire qu'elle a ses menstruations) et qu'elle devait d'abord se changer, avant de me lancer un coup d'œil complice.

C'est parce qu'on a établi une stratégie, ma cousine et moi, quand l'une ou l'autre a ses règles. Pendant qu'il y en a une qui change sa serviette hygiénique, l'autre doit faire couler l'eau du robinet et se laver les mains, si quelqu'un arrive. Comme ça, l'intruse n'entend pas le bruit du plastique qui se déchire. Et ça évite que toute l'école soit au courant de ce qu'on fait exactement dans les toilettes. Mirabelle ne voudrait JAMAIS que quiconque sache ces détails. Personnellement, je trouve que ce n'est pas la fin du monde, mais c'est vrai que c'est plutôt gênant.

Bref, après cet épisode, Mira a décidé d'aller voir son *chum* à son tournoi, dans le gymnase, et m'a plantée là. Au fond, elle n'avait absolument rien à me dire ! Pour passer le temps et comme je t'avais apporté avec moi, je suis allée dans la biblio (où je suis toujours) pour écrire un peu avant la reprise des cours.

Je trouve que ma relation avec ma cousine ne s'améliore pas très vite. Je croyais qu'elle voulait réellement qu'on passe du temps ensemble et qu'on recommence à se confier nos secrets, mais, dans les faits, elle me plante là dès qu'elle le peut. C'est peut-être Émile qui lui monte la tête contre moi…

~ 17 h 32 ~

Cher journal, je suis présentement enfermée à double tour dans les toilettes chez Annabelle. Cette fille est trop étrange, mais ce n'est rien comparé à sa famille ! Tout d'abord, je te rassure : je ne crois pas qu'elle s'apprête à me kidnapper. Sérieux, cette fille ne ferait pas de mal à une mouche et c'est le cas de le dire. Même si elle paraît bizarre, je ne vois pas pourquoi elle voudrait faire une telle chose. Ses parents et elle sont végéta… végétaliens,

si je me souviens bien. En tout cas, ils ont adopté le régime *vegan*, ou un truc du genre.

Ça ressemble aux végétariens (qui ne mangent pas de viande du tout), mais en plus, il y a un tas d'autres aliments qu'ils ne consomment pas. Comme les œufs, le poisson, le lait (miam, un bon verre de lait avec deux biscuits aux pépites de chocolat !), le miel et je ne sais plus quoi encore ! En plus, ils privilégient presque exclusivement de la nourriture crue. Tu te demandes ce que c'est, de la bouffe crue, cher journal ? Ce sont des aliments qui ne sont pas cuits. Pour finir, ils ne portent aucun vêtement qui contient des dérivés d'animaux, comme la laine, la soie et un tas d'autres choses.

Et comment je sais tout ça…? Parce qu'Annabelle m'a invitée à souper chez elle. Elle est super bonne dans presque toutes les matières, alors on a vraiment bien travaillé les exercices de maths (je pense même y avoir compris quelque chose !) et ensuite, j'étais de très bonne humeur. Je ne me suis donc pas doutée un seul instant de ce qui allait suivre…

J'aurais pourtant dû, quand j'ai franchi le seuil de sa maison. D'abord, elle habite dans un bungalow tout à fait normal. Pas moyen de savoir

ce qui se trame à l'intérieur… Bon, j'exagère un peu, mais écoute bien ça. Sa mère est venue nous accueillir avec un grand sourire. Elle avait l'air hyper contente que sa fille invite une amie. (Moi, en l'occurrence, même si je ne suis pas vraiment son amie, mais bon, passons.) Ah, et elle ne porte aucun maquillage. (Personnellement, je trouve que ça lui va plutôt bien, mais j'imagine déjà ce qu'en aurait pensé Mirabelle !)

Ensuite, son père est entré par la porte arrière (il était dans la cour à faire je ne sais trop quoi, mais ses mains étaient tachées de terre) et a retiré son manteau. C'est seulement à ce moment que j'ai eu quelques doutes. Il portait un genre de chemise lousse beige dans un tissu qui ressemblait à une poche de patates. En jute, je crois. Ses cheveux lui arrivent aux épaules et il a une barbe plutôt longue.

Bref, j'ai compris qu'ils étaient des granos. Je n'ai pas de problème avec ça. Je suis plutôt ouverte aux gens qui sont différents de moi. Tant qu'ils ne m'obligent pas à manger du tofu et du gazon. Sauf que… c'est exactement ce qu'ils ont mis dans mon assiette !!!

Quand je me suis assise à la table, je trouvais que ça sentait super bon dans la cuisine. J'en avais l'eau à la bouche. Oui, oui ! Jusqu'à ce que la mère d'Annabelle dépose les plats devant nous. Là, mon ventre s'est noué. J'en ai encore mal au cœur. Premièrement, je dé-tes-te le tofu ! Juste le mot me lève le cœur. Je t'explique pourquoi.

Avant que ma mère ne parte vivre à New York, elle a vécu un trip « santé » et elle nous cuisinait des aliments tous plus bizarres les uns que les autres. Je pense que l'objectif principal de sa nouvelle cuisine était de perdre du poids, même si ma mère n'a jamais eu un seul kilo en trop. En tout cas, pour satisfaire mon père, qui se plaignait de chacun de ses repas, elle a décidé de préparer des hot dogs au tofu. Ça goûtait carrément le caoutchouc ! Et ça m'a rendue tellement malade que je ne tolère plus de goûter à la moindre saucisse. Encore moins à du tofu !

Bref, j'ai prétexté une envie pressante et je suis venue m'enfermer dans les toilettes. Où je suis depuis un certain temps déjà. Je sens que je vais devoir y retourner…

D'ailleurs, j'entends des pas dans le couloir. Oh non ! On cogne à la porte. C'est Annabelle qui veut savoir si je vais bien.

Je reviens plus tard…

~ 20 h 46 ~

Enfin de retour chez moi. C'est dans ces moments-là qu'on se rend compte à quel point on est bien dans sa maison ! Annabelle est gentille, mais sa famille… Ouf ! C'est quelque chose !

Et puis j'ai faim, moi. Je crois que je vais aller me préparer un bol de céréales. Avec un bon chocolat chaud à la guimauve. Il faisait froid sur le chemin du retour et ça va me réchauffer. Je suis revenue à pied, car papa ne pouvait pas venir me chercher. Il était déjà sorti faire des courses et les parents d'Annabelle n'ont pas de voiture. La marche et le souper zéro appétissant de chez elle m'ont ouvert l'appétit !

Mais j'ai quand même fait un effort, tu sais. Quand elle est venue cogner contre la porte des toilettes pour m'en faire sortir, je lui ai avoué ma répulsion face à tout ce qui contient du tofu. Elle a compris, mais elle m'a fait promettre d'essayer au moins de prendre une bouchée de mon assiette. Ce que j'ai fini par accepter… pour le regretter aussitôt ! C'était bel et bien aussi dégueu que je le craignais !

N'empêche, Annabelle est une fille intéressante et on a eu bien du plaisir, après le souper. Elle

m'a expliqué son mode de vie *vegan* et même si je ne comprends pas pourquoi ils s'imposent de telles restrictions, je les respecte. Je pense même que je vais continuer de passer du temps avec Anna. Elle a dit qu'elle aimerait ça faire davantage de sport et on a convenu qu'elle viendrait peut-être s'entraîner avec moi en fin de semaine.

J'ai hâte de discuter de tout ça avec Mira, lundi. Si je lui racontais ce que contient le rouge à lèvres qu'elle s'applique tous les jours, elle ferait le saut, je crois ! Non mais tu imagines : il y a du gras de baleine, là-dedans ! Dégueu ! Ça m'a convaincue de ne plus en remettre. Déjà que je n'aimais pas du tout avoir les lèvres colorées, disons que ça me donne l'excuse parfaite pour ne plus en porter !

Lundi 10 novembre

~ 16 h 01 ~

Cream puff! Mira est vraiment bornée! Elle croit qu'Annabelle fait partie d'une secte ou je ne sais quoi. Et elle dit que je ne devrais plus lui adresser la parole! Elle m'a menacée d'arrêter de se tenir avec moi si je continuais à la voir. Mais comme tu t'en doutes, je ne me suis pas laissé faire. Voici ce que je lui ai répondu:

Moi: Voyons, Mira! Tu ne la connais même pas! Et elle n'est pas du tout comme tu le penses!

Mira: C'est toi qui viens de dire qu'elle ne bouffe que du tofu!

Moi: Ce n'est pas mieux que toi et ton régime à base de chou du mois dernier!

Mira: Pfff! N'importe quoi! Moi, c'était pour perdre mes kilos en trop! Elle, c'est... c'est juste parce qu'elle...

Moi : Tu vois bien que tu n'as aucun argument valable ! Annabelle est super gentille et j'aime bien passer du temps avec elle. Alors je ne vais pas arrêter juste parce que tu me fais des menaces !

Mira : En tout cas, tu feras ce que tu veux, mais sache qu'il est hors de question qu'elle vienne s'asseoir à MA table ! Juste la voir avec son assiette de luzerne serait suffisant pour me donner mal au cœur ! En plus, Émile trouve déjà ça difficile que tu sois ma cousine, imagine si en plus...

Moi : QUOI ?!? Ton imbécile de **chum** trouve ça difficile !!! Paaaauvre lui !

Mira : Émile n'est pas du tout un imbécile ! C'est le **chum** parfait, tu sauras ! Mais tu ne peux pas comprendre, toi ! Tu l'as laissé filer, le **chum** parfait !

Moi : Mais Colin est seulement un ami et...

Mira : Je parlais de Malik !

Moi : Oh... euh... En tout cas, si Malik acceptait de me parler, je pourrais m'excuser comme il faut. C'est lui qui refuse d'être à moins de cinq mètres de moi !

Mira : En tout cas, cette conversation tourne en rond et tu es tellement têtue que ça ne sert à rien d'essayer de te convaincre. Annabelle et toi, vous êtes peut-être faites pour être ensemble, finalement...

Moi : C'est justement ce que je me disais ! Et ne viens pas te plaindre quand ton Émile t'aura encore une fois trompée avec une autre fille ! Salut !!

Là, j'ai tourné les talons et je me suis précipitée dans le corridor. Je n'avais aucune idée de l'endroit où aller (la biblio était fermée à cause d'une réunion du comité étudiant) et je ne voulais pas que les autres élèves voient les larmes qui coulaient sur mon visage. Je tentais de me moucher avec la manche de mon chandail (total yark, je sais bien, mais je n'avais pas de mouchoirs sous la main), quand je suis tombée face à face avec Malik, en tournant le coin.

Il a eu l'air d'hésiter, en me voyant le visage rouge et en pleurs. Mais il a vite passé son chemin sans dire un mot. J'ai tourné la tête pour le voir s'éloigner dans le corridor. À la dernière minute, il a lui aussi tourné la tête vers moi, mais pas longtemps. Finalement, je suis allée me calmer dans les toilettes. Et depuis, je n'ai plus reparlé à ma cousine.

Je n'aurais jamais dû lui raconter ma soirée chez Annabelle… Je pensais bien faire, en lui expliquant comment est sa famille et pourquoi elle s'habille ainsi, mais Mira ne voit pas les choses de cette façon, il faut croire. Ma cousine est très bonne pour juger les gens sans même les connaître. Même si j'ai de la peine, je crois que ça va nous faire du bien de prendre une petite pause, elle et moi.

Avant, nous n'avions pas ce problème, car elle habitait loin de chez moi. Quand j'étais tannée de la voir, elle retournait chez elle ; après quelques semaines, on avait déjà tout oublié de nos disputes. Mais depuis qu'elle vit dans le même quartier que moi, que nous fréquentons la même école et qu'elle se tient avec les mêmes amies que moi... Disons que c'est plus compliqué.

Je vais en profiter pour me concentrer davantage sur mon tennis, plutôt que sur nos conversations téléphoniques qui n'en finissent plus en fin de soirée. Je vais être moins fatiguée et plus en forme pour me lever le matin. Et peut-être que je n'arriverai plus jamais en retard à l'autobus...

Justement, j'ai un entraînement, ce soir. Je m'ennuie de Colin. Si on se tenait toujours ensemble, je l'aurais invité à se joindre à moi. Je tourne et retourne le combiné du téléphone dans ma main, en me demandant si je dois composer son numéro.

Tiens... pourquoi je ne téléphonerais pas plutôt à Annabelle ? Elle m'a dit clairement qu'elle aimerait ça s'entraîner avec moi. Pourquoi ne pas la mettre au défi ce soir ?

Je crois que c'est ce que je vais faire à l'instant...

~ 21 h 38 ~

Super bel entraînement avec Annabelle. Elle est très drôle, quand elle le veut, cette fille. Toujours un peu bizarre, mais comique et intelligente.

Elle me posait des tas de questions, pendant qu'on s'étirait, pour savoir pourquoi on exécutait tel ou tel mouvement. Après la séance, on est revenues en autobus et on a pu jaser encore un peu. Les parents d'Annabelle étaient contents qu'elle fasse un peu de sport, mais ils disent que trop, ce n'est pas bon. Ils croient que j'en fais vraiment beaucoup, moi. Que j'en demande trop à mon corps.

Je n'ai pas le choix, si je veux faire de la compétition. Alors on a changé de sujet et j'ai demandé à Anna si elle voulait venir faire un tour chez moi. J'ai précisé que mon père ou mon frère irait la reconduire un peu plus tard. Elle a accepté et j'ai pu la présenter à Anto et Fred, qui ont été très sympathiques avec elle. Ils ne l'ont pas regardée bizarrement (même si je sais que le look d'Annabelle peut parfois surprendre) et mon père non plus ne m'a pas fait honte.

Ça lui arrive parfois de dire des trucs stupides, comme la fois où il était surveillant à une soirée de danse à l'école et où il est venu jaser avec la gang d'Ariane et moi. J'avais le goût de me cacher six pieds sous terre. Surtout qu'il racontait des choses to-ta-le-ment fausses aux filles. J'avais juste l'air d'une idiote! Après, Ariane m'a questionnée sur le pyjama que je porte pour dormir.

(Elle voulait savoir si c'est vrai que j'emprunte parfois les boxers de mes frères et si je porte réellement des bas dans mes sandales, certains soirs un peu frisquets, en été.) J'ai été obligée d'avoir une discussion intense avec mon père, par la suite, et de lui faire comprendre que ce qui se passe DANS la maison reste DANS la maison !

En tout cas, ensuite, Annabelle est entrée dans ma chambre et elle l'a trouvée super belle. Il faut dire que mon frère Fred l'a vraiment bien décorée et j'en suis assez fière. Anna aimerait ça avoir une chambre dans le même genre, sauf que ses parents ne veulent pas peindre ses murs. Ils disent qu'il y a trop de produits toxiques dans la peinture. Et trouver des couvertures pour son lit est hyper compliqué, car celles-ci ne doivent pas contenir de protéines animales. Bref, ses draps sont beiges et pas très confos.

Pour la faire sourire, je lui ai proposé une soirée maquillage, comme Mira me l'a déjà offert. Ma nouvelle amie a hésité un moment, prétextant que le maquillage, c'était mauvais pour les pores de la peau, mais j'ai fini par la convaincre.

Anna porte d'énormes lunettes noires pas très seyantes et quand elle les a retirées, j'ai pu lui appliquer du mascara et un peu de rouge sur les joues. Je lui ai mis du gloss et même du vernis

rose ! Elle était super belle et j'ai voulu qu'elle se pavane devant mes frères, même si ça la gênait.

Sébas venait d'arriver et quand il a aperçu Annabelle, il est devenu muet comme une carpe, comme dirait mon père. Je crois qu'il l'a trouvée de son goût, parce qu'il a ensuite tenté de faire des blagues et qu'il nous suivait partout. Anna ne s'en est pas trop rendu compte, je crois. Finalement, mon père est allé la reconduire et Sébas en a profité pour venir me demander qui était ma nouvelle amie.

Pourtant, il va à la même école que moi et il devrait l'avoir déjà vue, mais d'après moi, à cause du maquillage, il ne l'a pas reconnue du tout ! La tête qu'il fera quand il la verra demain, au naturel…

Bon, je suis fatiguée, je me couche. Demain, Anna et moi on va manger ensemble. Je suis vraiment contente de m'être fait une nouvelle amie. Et je me sens un peu mal d'avoir pensé qu'elle serait capable de me kidnapper pour m'enfermer dans son sous-sol. Fred a raison : j'ai beaucoup trop d'imagination…

Mardi 11 novembre

~ 16 h 12 ~

Cream puff! On dirait que je n'arrive pas à garder mes amis ! J'ai un sérieux problème avec les gens autour de moi. Écoute bien ça...

Aujourd'hui, en arrivant à l'école, j'ai cherché Annabelle partout, mais elle n'était nulle part. En tout cas, nulle part où elle voulait que je la trouve ! Même chose pendant la récréation. Au dîner, j'étais vraiment tannée et je me suis rendue directement à la biblio, mais aucune trace d'Anna là non plus. Alors j'ai cru qu'elle devait être malade, mais à ce moment j'ai vu Sébas qui m'envoyait la main. (Ce qu'il ne fait JAMAIS à l'école.) D'habitude, il préfère m'ignorer et faire comme si je n'étais pas sa sœur. Je ne pense pas qu'il ait honte de moi, c'est juste qu'il doit me trouver trop jeune pour m'accorder de l'attention.

Sauf ce midi, il faut croire… Il a dit un mot rapide à ses amis et il est venu me rejoindre. J'ai vite compris pourquoi. En fait, il venait de voir Annabelle et il l'avait à peine reconnue. (Je m'en doutais !) Ce qui m'a quand même étonnée un peu, c'est qu'il avait l'air intéressé malgré tout. Bref, il voulait savoir si j'allais inviter Anna ce soir. Je le voulais bien, mais, comme je lui ai répondu, je n'arrivais pas à la trouver ! Il m'a vite indiqué l'endroit où elle était et il m'a poussée à aller lui parler. Parce qu'il était aussi inquiet pour elle, étant donné qu'elle se dirigeait vers l'infirmerie et ne semblait pas dans son état normal.

Sérieux, je ne me souviens pas d'avoir vu mon frère aussi fébrile. Oui, il a souvent eu des blondes et des filles qui l'intéressaient, mais pas à ce point ! Normalement, ce sont plutôt les filles qui lui courent après, d'ailleurs. Avec Annabelle, il doit trouver que ça fait changement et il ne doit pas savoir comment agir.

Pour en revenir à mon amie, je me suis précipitée à l'infirmerie. J'étais inquiète et j'espérais qu'elle n'avait rien de grave. Elle était bel et bien encore là. Je l'ai tout de suite repérée, car elle attendait son tour pour aller parler à l'infirmière. Annabelle avait une drôle de mine et ses yeux étaient un peu gonflés, mais ses lunettes cachaient le tout. Sauf qu'elle ne semblait pas contente de me voir…

Je te résume notre discussion.

Moi : Ah ! Te voilà enfin ! Je t'ai cherchée partout. On croirait presque que tu te cachais de moi ! Ça ne va pas ?

ANNA : Moyen... mais je suis là. Qu'est-ce que tu me veux ?

Moi : Euh... Rien de spécial. C'est juste que je pensais qu'on dînerait ensemble... Non ?

ANNA : Écoute, je crois que c'est une mauvaise idée, finalement...

Moi : Qu'est-ce qui est une mauvaise idée ? De manger ensemble ? C'est vrai que le dîner est presque fini, mais c'est parce que j'ai passé l'heure complète à tenter de savoir où tu étais. Et j'imagine que si tu es venue à l'infirmerie, c'est que tu ne vas pas bien. Qu'est-ce qui se passe ?

ANNA : C'est compliqué, Dylane. Mais... On n'a pas le temps d'en discuter maintenant. Je vais t'appeler ce soir, d'accord ?

J'ai hoché la tête, un peu sous le choc. L'infirmière a alors appelé Annabelle pour qu'elle entre dans son bureau. Qu'est-ce que j'ai encore fait pour qu'elle ne veuille plus être mon amie !? Malik me déteste, Mira me fait passer après son *chum*, Colin ne m'aime pas et là, c'est au tour d'Annabelle de me repousser ! Qu'est-ce qui cloche, chez moi ? J'ai un gros nez ? Un double menton affreux ? Des cheveux gras ? Du poil dans les oreilles ???

En ce moment, j'attends son coup de fil, pour essayer de comprendre la situation. Mais je commence à douter qu'elle m'appelle réellement. En plus, Sébas n'arrête pas de venir me déranger pour savoir si Anna m'a parlé de lui aujourd'hui et si elle se sent mieux. Je m'en fiche de ses amours, à lui ! Qu'il me foute la paix !!

Oh !!! Le téléphone sonne ! Je reviens plus tard !!!

~ 17 h 33 ~

Je viens de raccrocher avec Annabelle. Elle pleurait au téléphone. Ses parents lui ont permis de m'appeler, mais pas de m'inviter à aller chez eux. Ils sont complètement zinzin ! Ils ne veulent plus qu'Annabelle soit mon amie. (Comme si on avait cinq ans, genre !) Ils disent que j'ai une mauvaise influence sur elle.

Pourquoi ? Parce que je l'ai aidée à se maquiller hier soir ! RI-DI-CU-LE !!

En fait, dès qu'elle est revenue chez elle, ses parents l'ont obligée à se laver le visage pour enlever toutes traces de produits toxiques. Ils ont dit que c'était la dernière fois qu'elle viendrait chez moi. Et ils lui ont mis des tas de trucs idiots dans la tête. Ensuite, elle a dû se coucher tôt, car elle est en punition pour la semaine.

POUR AVOIR MIS DU MASCARA !!! *CREAM PUFF !*

Là, je suis trop en colère pour te dire ce que je pense d'eux ! Alors je vais me taire et attendre un peu. Sinon, je sens que je pourrais écrire des gros mots. Je vais plutôt aller discuter de tout ça avec Fred. Lui, il est bon pour me faire voir un autre point de vue.

Mais une chose est certaine (et ça, je ne vais pas me censurer pour l'écrire) : je DÉTESTE les parents d'Annabelle !

~ 18 h 57 ~

Grrr… Je viens de me disputer avec mon frère.

Tout d'abord, Fred a dit que je devais être plus intelligente qu'eux. Il croit que le mieux, c'est de jouer leur jeu. Je ne comprenais pas trop ce qu'il racontait. Il est comme ça, Fred, il parle en paraboles et on ne saisit plus rien de ce qu'il dit… Ça ressemblait un peu à ça :

Fred : Joue leur jeu, Dylane.

Moi : Quel jeu ?

Fred : Non, c'est une expression. Ça veut dire qu'il faut que tu sois encore plus brillante qu'eux.

Moi : En tout cas, moi, je ne les trouve pas si brillants que ça !

Fred : On dirait que tu fais exprès de ne pas comprendre, Dylane !

Moi : Pourquoi tu cries ? Je te dis que je n'aime pas les jeux ! Il me semble que c'est simple. Et puis de quel jeu tu parles, aussi !?

Fred : JE NE CRIE MÊME PAS ! ET JE NE PARLE PAS D'UN VRAI JEU !!

Moi : OUI, TU CRIES ! ET TU AS BEL ET BIEN DIT LE MOT « JEU » !!

Fred : TOI AUSSI, TU CRIES !!! ARRÊTE DE RÉPÉTER LE MOT « JEU » !!!

Mon père (qui vient d'entrer dans le salon) : VOUS AVEZ FINI DE CRIER, OUI ??? QUI JOUE À QUEL JEU, LÀ ?!?

Fred et Moi : C'EST PAS MOI QUI CRIE !!! ET IL N'Y A AUCUN JEU !!!

Mon père : ÇA SUFFIT ! DANS VOS CHAMBRES, TOUT DE SUITE !!! ET PLUS DE JEUX POUR LA SOIRÉE !!!

Bref, on a dû aller dans nos chambres un moment, avant de pouvoir en sortir. Après, Fred s'était calmé (c'était quoi son problème de me crier dessus ?!) et il est venu me rejoindre. Il s'est assis sur mon lit et il a soupiré un bon coup. Il s'est même excusé. Il n'a pas voulu me dire ce qui le chicote depuis un moment, mais il a promis de faire un effort pour être moins sur les nerfs. J'espère bien, parce qu'il commence à être aussi lourd que Sébas et je m'ennuie du Fred à qui je peux me confier…

Ensuite, il a repris notre discussion d'avant notre chicane et il m'a expliqué les choses d'un point de vue différent. Selon lui, les parents de mon amie ne veulent que son bien. Et ils sont « anti » tout ce qui est toxique. (Ça, je le savais déjà !) Donc, si je veux continuer à me tenir avec Annabelle, il faudrait que je leur prouve :

- SOIT que les produits que j'utilise ne sont pas dangereux pour mon amie ;

- SOIT que je vais cesser d'utiliser lesdits produits.

C'est ce qu'il voulait dire par «jouer leur jeu». Fred pense que, parfois, ça ne sert à rien de se battre. Il faut plutôt essayer de penser comme l'ennemi (les parents d'Anna). Et trouver leur faille. Ça, je peux le faire. Enfin, j'imagine. Je vais donc me mettre à la place des végétaliens.

Pour commencer, je vais arrêter de manger de la viande…

Oh non ! Je vais devoir dire adieu à mon pâté chinois adoré !! Et je vais peut-être même devoir manger du tofu !!! Chose certaine, Annabelle ne pourra pas dire que je ne fais pas d'effort. Moi qui déteste la luzerne et le gazon…

Bon, commençons par le début. Il faut que je débarrasse le frigo de tout ce qui contient de la viande. Ensuite, je ferai l'inventaire de mon garde-robe, pour jeter les vêtements à base d'animaux.

Ça ne doit pas être si compliqué que ça…

~ 20 h 43 ~

Évidemment, il fallait que ça finisse en punition ! Mon père ne comprend jamais rien ! Il dit que j'ai jeté de la bonne nourriture aux poubelles et que ça coûte très cher, la viande ! Que c'est du gaspillage, ce que je viens de faire, et que les petits Noirs en Afrique aimeraient bien mettre la main sur notre bouffe, eux !

Je ne vois pas du tout le lien entre les Noirs d'Afrique et le fait que je ne mange plus de viande. Ça n'a aucun rapport. Même si je jette deux ou trois steaks, ça ne leur donnera pas davantage à manger. En plus, j'ai essayé de lui faire comprendre qu'il devrait changer son régime, s'il ne veut plus avoir de pierre aux reins. Que la viande, c'est vraiment gras et que ça augmente le taux de cholestérol. (OK, je n'ai absolument aucune information sur le sujet, mais il me semble que j'ai entendu ça quelque part.) Bref, que ça lui serait bénéfique d'arrêter d'en manger, mais il n'a rien voulu entendre.

Et je suis confinée à ma chambre pour le reste de la soirée. Pour de bon, cette fois. Une chance qu'il me restait encore à faire le ménage de mon garde-robe. Ça va me permettre de passer le temps. Je m'y mets tout de suite.

~ 22 h 36 ~

Ouin… La pile de vêtements à jeter commence à devenir un peu trop grosse. En plus, il y a plein de pantalons que j'adore, là-dedans ! Et mon gros pull en laine que je mets dès qu'il fait froid. Je ne peux pas m'en débarrasser…

Fred a beau dire que je dois jouer le jeu des parents d'Anna, il y a quand même des limites ! Je pense que je vais garder certains articles, mais que je vais m'abstenir de les porter si je vais chez mon amie. (Si je finis par me faire réinviter…) Je croyais que ce serait simple de faire le tri, parce que je ne suis pas le genre à avoir des sacs à mains en peau de crocodile, ni des manteaux de fourrure ou des souliers en cuir, sauf que ça va bien plus loin que ça, la folie de ces gens !

Bon, je fais une pause et je m'y remettrai demain. Je commence à être vraiment fatiguée.

J'ai hâte de croiser mon amie pour lui dire que j'ai décidé d'adopter son mode de vie ! Je sens qu'elle va être contente !!

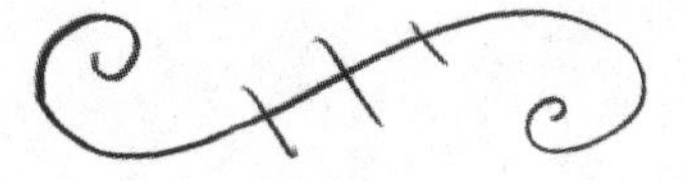

Mercredi 12 novembre

~ 7 h 22 ~

De moins en moins facile, ce régime de vie. *Cream puff!* Je ne sais pas trop quoi mettre dans mon assiette ce matin, si je veux respecter mon végétalisme. Pas d'œufs, pas de miel dans mes céréales, pas de lait non plus ! Ni de yogourt ! Et je choisis quoi pour ma boîte à lunch ? C'est bien compliqué, tout ça ! Je crois que je vais devoir demander des conseils à la pro (Anna) ce midi.

Bon, allons-y pour des fruits, pour déjeuner. Ça, je sais que je peux en manger. Pour le dîner… des légumes ? Oui, mais avec quoi. Oh, je pense que papa a acheté de l'houmous, ça devrait donc faire l'affaire. Ce soir, il faudra aller à l'épicerie, par contre.

C'est l'heure d'aller prendre l'autobus si je ne veux pas être en retard.

~ 16 h 45 ~

Je me sens si faible que juste écrire dans mon journal m'épuise… Comment je vais bien pouvoir continuer ce régime de vie, si je parviens à peine à tenir debout ? En plus, Annabelle n'était même pas à l'école aujourd'hui. *Cream puff !* J'ai peut-être fait tout ça pour rien…

Je vais essayer de l'appeler, pour savoir comment elle va. Ses parents ne seront pas contents de m'entendre, mais je pourrais en profiter pour leur parler de mes résolutions.

~ 17 h 09 ~

Oh non !!! Je me sens tellement mal ! Tout ça est de ma faute !!! Je suis la pire amie au MONDE ! Annabelle est allée à l'hôpital ce matin ! Oui, À L'HÔPITAL ! À cause de moi !!! Bon, je me calme et t'explique.

Hier, je trouvais que le visage de mon amie était boursouflé, tu te souviens ? Mais je croyais que c'était parce qu'elle avait pleuré et qu'elle avait de la peine de ne plus pouvoir être mon amie. En réalité, c'était à cause du maquillage que je lui ai appliqué ! Elle est ALLERGIQUE !!!

Ses parents ne sont pas anti-produits toxiques sans raison. Annabelle est allergique à un tas d'aliments. C'est pour ça qu'ils ne mangent pas d'œufs à la maison, ni de miel, ainsi qu'un tas d'autres choses encore. Anna peut avoir des réactions très intenses si elle en consomme. Et à cause du mascara que je lui ai mis, ses yeux ont

commencé à enfler. Elle a pris des antihistaminiques, mais rien à faire, ils continuaient à devenir de plus en plus gonflés. Finalement, ses parents n'ont pas pris de risque et ils l'ont emmenée à l'urgence où elle a dû passer une partie de la nuit.

Elle est revenue chez elle tôt ce matin, mais elle a dû rater l'école, pour récupérer un peu de sommeil. Quand je lui ai téléphoné, c'est sa mère qui m'a raconté tout ça. J'ai dû m'excuser une centaine de fois, je crois. Ça a eu l'air de la faire rire un peu. Elle m'a dit qu'ils ne m'en voulaient pas, mais qu'ils étaient sérieux avec les allergies de leur fille et que c'est la raison pour laquelle ils préfèrent qu'elle ne vienne pas souper chez moi et que je ne m'amuse pas à la maquiller comme l'autre jour.

Je lui ai alors parlé de ma résolution de devenir végétalienne, moi aussi, et elle m'a dit que ce n'était pas nécessaire. *Cream puff*, j'avoue que ça m'a un peu soulagée, parce que je commence sérieusement à avoir faim et je vois des morceaux de pâté chinois danser devant moi quand je ferme les yeux…

Demain, Anna devrait pouvoir retourner en classe. Donc, on va se voir à ce moment-là. Je te laisse, cher journal, car ça sent le ragoût dans la maison et je salive juste à y penser…

~ 19 h 23 ~

Papa avait racheté de la viande aujourd'hui pour préparer son ragoût, qui était juste troooop savoureux. Plus jamais je ne vais me priver de viande, moi ! Je suis vraiment une carnivore, et je m'assume ! Papa m'a regardée d'un drôle d'air quand il m'a vue m'empiffrer, mais quand il m'en a fait la remarque, je lui ai juste dit qu'il ne comprenait rien. Que je n'aurais jamais dû essayer de devenir végétalienne, étant donné qu'Annabelle est seulement allergique. Ce qui change la donne complètement ! Bien entendu, il n'a rien pigé à ce que je lui disais.

J'ai pris une deuxième portion et au moment où je léchais la sauce dans le fond de mon assiette, le téléphone de la maison a sonné. C'était ma mère ! Elle voulait nous parler sur Skype, à mes frères et moi, alors on a ouvert l'ordinateur. Dès que je l'ai aperçue à l'écran, j'ai trouvé qu'elle avait un petit quelque chose de différent. Je ne suis pas arrivée à mettre le doigt dessus, mais elle nous a reconfirmé son arrivée pour la semaine prochaine.

Ce que je trouve bizarre, par contre, c'est qu'elle a décidé de louer une chambre à l'hôtel. Normalement, elle dort à la maison, avec nous. Peut-être qu'elle a des rendez-vous pour son travail

au centre-ville et c'est la raison pour laquelle elle trouve plus simple de se prendre une chambre. Au moins, elle vient nous voir ! J'ai si hâte de la serrer dans mes bras !!

Bon, encore le téléphone.

C'est peut-être maman qui rappelle…

~ 20 h 48 ~

Ce n'était pas maman, mais Mira. C'est rare qu'elle m'appelle depuis qu'elle sort avec Émile, elle ! Elle avait vraiment besoin de parler. D'ailleurs, elle était presque en mode panique. Demain, on a prévu de sortir sur l'heure du dîner, pour en discuter plus en profondeur. Mais en gros, elle est sûre que son *chum* veut qu'ils aillent plus loin, elle et lui. Pas plus loin dans le sens d'aller plus loin que le dépanneur ! Plus loin dans le sens d'aller « plus loin » ! Elle croit qu'il est tanné qu'elle et lui ne se donnent que de petits becs…

Émile a déjà eu une blonde avec qui il… en fait, Mira ne sait pas jusqu'où il est allé avec cette fille, mais manifestement, il doit s'attendre à ce que lui et Mira poussent leur baiser plus en profondeur. En gros, il doit vouloir la caresser… sous le chandail ! Et Mira n'est pas certaine d'être prête à ça ! Je la comprends !! Je ne sais pas comment je réagirais si un gars essayait de passer sa main sous mon chandail pour toucher mes seins ! De toute façon, ce n'est pas comme si j'en avais beaucoup, alors ça m'étonnerait qu'on s'intéresse à ceux-ci, mais on ne sait jamais ce qui se passe entre les deux oreilles d'un garçon ! Si j'étais encore amie avec Colin, je pourrais lui poser la question…

Mais comme ce n'est pas le cas, je pense que je vais aller voir Fred pour jaser de ça. Je saurai ainsi un peu plus quoi dire à Mira pour l'encourager, demain.

~ 20 h 54 ~

Fred n'avait pas le goût de me voir et ne se sentait pas d'humeur à jaser. Il commence sérieusement à être plate, lui ! Il devrait déjà avoir fini sa crise d'adolescence, non ? Il a quand même dix-sept ans ! Bientôt dix-huit !!

~ 20 h 59 ~

Je suis allée me plaindre de la mauvaise attitude de Fred à mon père, et Anto m'a entendue. Papa a juste dit que mon frère avait le droit de vouloir être tranquille quand ça lui chante. Mais quand je suis passée près de la chambre d'Anto, celui-ci m'a appelée pour que j'aille le rejoindre.

Il était en train de parler avec sa blonde au téléphone, mais il lui a demandé d'attendre deux minutes et il a abaissé le combiné. Et c'est là que j'en ai appris une bonne. Écoute bien ça :

ANto : Lâche donc Fred, tu ne vois pas qu'il file un mauvais coton ?

Moi : Pourquoi tu dis ça ? Si c'est à cause de son air bête perpétuel, j'imagine que tu as raison...

ANto : Écoute, il ne voudra peut-être pas que je t'en parle, mais je le fais pour son bien, alors...

Moi : Quoi ?! Fred a des secrets que tu es le seul à connaître ? C'est pas juste, ça ! Je pensais qu'il me disait tout !

ANto : Oh non, je ne pense pas qu'il te dise tout, Dylane. T'es un peu trop petite pour comprendre certaines choses...

Moi : Je ne suis pas trop petite du tout et je suis capable de comprendre bien des affaires, tu sauras. Donc, c'est quoi son fameux secret ?

ANto : Promets de ne pas en parler, d'abord.

Moi : Ben oui, promis ! Accouche !

ANto : Fred est en peine d'amour... Son... il vient de se faire **flusher**, disons. Mais il ne veut pas en parler avec qui que ce soit.

J'étais sous le choc ! Fred sortait avec une fille et je ne le savais même pas. J'ai tout de suite essayé de tirer les vers du nez à Anto, sans succès.

Moi : C'est qui, cette fille ? Tu la connais ?

ANto : Je ne peux rien dire de plus. Fred me tuerait s'il savait que je t'ai parlé. Alors tu la boucles, compris ?

J'ai marmonné que je n'étais pas du genre à trahir les secrets des autres, puis je suis sortie en vitesse de la chambre d'Anto. Je n'en reviens pas encore. Fred avait une blonde et personne ne l'a rencontrée ! Il va falloir que j'enquête sur le sujet. Ça n'en restera pas là…

Vendredi 14 novembre

~ 18 h 47 ~

Je passe la soirée avec Mirabelle ! Je suis vraiment heureuse, parce qu'on ne se voit presque plus, elle et moi ! Évidemment, je sais que je passe après Émile, et comme ce dernier s'en va en finale au tournoi de hockey cosom de l'école, il a décidé de s'entraîner ce soir. Bref, il passe la soirée sans Mira, qui s'est tout de suite tournée vers moi… son bouche-trou favori.

Mais je m'en fiche un peu. Moi non plus je n'avais rien à faire ce soir. Et puisque cette semaine nous n'avons pas eu le temps de jaser juste elle et moi, finalement, ce soir, c'est parfait !

On devait aller dîner ensemble jeudi, mais Émile a décidé de rester avec elle, qui m'a aussitôt reléguée aux oubliettes. Pas grave, j'en ai profité pour aller m'excuser auprès d'Annabelle. C'est un peu ma faute, après tout, si elle s'est retrouvée à l'hôpital.

Je lui ai parlé de mes tentatives de devenir végétalienne, ce qui l'a bien fait rigoler. Elle m'a dit

que, si elle avait le choix, jamais elle ne s'imposerait un régime de vie aussi strict. Et qu'elle trouve ça beau, du maquillage, même si elle sait maintenant qu'elle ne peut pas en porter. On a parlé de tout et de rien et on s'est rendu compte qu'on avait des tas de trucs en commun, malgré nos différents styles de vie.

On aime le sport, les films d'horreur, la couleur rose et aussi la neige. Elle aimerait bien goûter à ma recette de chocolat chaud à la guimauve, mais il faudrait que je remplace le lait de vache par du lait de soya. Je lui ai promis d'essayer, la prochaine fois qu'elle viendra chez moi. Ah ! Et je lui ai tout raconté au sujet de mon frère… Annabelle ne m'a pas crue du tout ! Elle croit que je me moque d'elle et que jamais Sébas ne s'intéresserait à une fille comme elle. Alors j'ai promis de lui prouver le contraire. Je ne sais pas comment encore, mais je vais trouver.

Là, je dois me préparer à sortir. Mira et moi, on se rejoint au petit resto, à quelques rues d'ici. Ils servent de bons chocolats chauds à la guimauve… Miam ! Ce n'est pas ma recette à moi, mais c'est quand même délicieux !

Je fouille donc dans les vêtements que j'ai empilés sur le plancher, hier soir, à la recherche

de mon pull préféré. Il est en laine, couleur crème, avec un gros col baveux. Ça ne veut pas dire que mon chandail est baveux ! C'est Mira qui m'a appris ce terme, qui signifie juste que le collet retombe sur ma poitrine. Oh, le voilà !

J'ai hâte de savoir ce que ma cousine a à me dire…

Samedi 15 novembre

~ 10 h 26 ~

Je suis revenue trop tard hier soir pour écrire. D'ailleurs, je viens à peine d'ouvrir les yeux et j'ai juste le goût de rester couchée, aujourd'hui… Sauf que j'ai énoooormément d'étude à faire pour les examens de la semaine prochaine. « J'haïs » la période des examens. Ça me stresse toujours beaucoup trop et je ne performe pas comme je le devrais. Pourtant, je suis habituée au stress, avec mes compétitions de tennis. Sauf que, lorsque je me retrouve devant ma feuille d'examen, avec seulement un crayon et une efface, je fige…

Pour que ça n'arrive pas, je dois étudier plusieurs jours à l'avance. Afin que ça me rentre bien dans la tête. Aujourd'hui, c'est maths, maths et re-maths ! Je dois savoir toutes les formules par cœur. J'ai de la misère à les retenir. Et je suis nulle en calcul mental. Je vais demander à un de mes frères s'il peut m'aider à réviser. Anto doit être chez sa blonde, Fred passe son temps dans sa chambre (à déprimer) et il me reste Sébas…

Je pourrais lui faire du chantage ! Du genre : tu m'aides à étudier et j'invite Annabelle à la maison ! Oui, c'est exactement ce que je ferai quand j'aurai assez de force pour me lever. Mais avant, je vais juste poser ma tête encore un peu sur l'oreiller.

Hum, comme on est bien…

~ 12 h 04 ~

Réveil en sursaut à cause de mon imbécile de frère (Sébas) qui est venu me demander si je comptais voir Annabelle aujourd'hui ! Il ne pourrait pas me laisser me reposer, lui !? *Cream puff*… déjà midi. Moi qui voulais étudier ce matin. Je vais devoir bûcher en double, je crois bien.

Je vais faire un tour aux toilettes et je reviens te raconter ma soirée d'hier.

~ 12 h 12 ~

Finalement, je vais aller manger avant de tout écrire.

~ 13 h 26 ~

Ouf… j'ai le ventre trop plein. Je me coucherais sur le dos comme une baleine pour ne plus bouger avant d'avoir digéré mon énorme restant de ragoût. Je n'aurais peut-être pas dû le manger avec autant de tranches de pain. Une chance que je m'entraîne beaucoup, parce que je sens que j'aurais de sérieuses poignées d'amour, avec tout ce que j'ingurgite !

Bon, je m'étends seulement quelques minutes…

~ 14 h 58 ~

Pas moyen de relaxer tranquille, ici ! Quand ce n'est pas Sébas qui entre en coup de vent dans ma chambre, c'est Anto qui revient et qu'on entend s'engueuler avec sa blonde au téléphone (même s'il a fermé sa porte), mon père qui décide de passer la balayeuse dans TOUTE la maison, ou le téléphone qui n'arrête pas de sonner (sûrement la blonde d'Anto qui rappelle, alors qu'il refuse de lui répondre…).

Non seulement je ne peux pas me reposer, mais en plus je suis incapable de me concentrer pour étudier correctement ! *Cream puff!* Il me faudrait une chambre insonorisée !

Je m'en vais leur dire de baisser le volume et je reviens pour te raconter ma soirée avec Mira. (Promis, cette fois !)

~ 15 h 13 ~

Pas moyen de leur parler sans qu'ils se fâchent ! Il y a vraiment trop de testostérone, chez moi. On dirait que les hommes ne font que rechercher la bagarre ! Anto m'a crié de me mêler de mes affaires, papa a arrêté la balayeuse le temps de me dire que, si j'aidais un peu au ménage, ça irait plus vite ! Sébas s'est encore plaint que je n'avais toujours pas appelé Annabelle et Fred m'a claqué sa porte de chambre au nez quand je suis allée me plaindre à lui de tous les autres...

Cream puff! Je suis total incomprise dans cette maison !

Pour ne pas déprimer à ce sujet, je vais donc te raconter ce que j'ai fait hier soir. Comme prévu, je suis allée rejoindre Mirabelle au petit resto et je me suis vite commandé un ÉNORME chocolat chaud à la guimauve ! Avec crème fouettée et chocolat râpé sur le dessus. Miam…

Mira a simplement pris un cappuccino frappé à la vanille (il faudrait que j'essaie ça, un de ces jours, ça sent le chocolat et moi, j'adooooore le chocolat !) et dès que nos tasses sont arrivées, elle s'est lancée dans l'explication des demandes de son *chum*. Dernièrement, il lui a mis de la pression pour qu'elle accepte de passer une soirée seule chez lui, dans son sous-sol. Sans les parents dans les pattes…

Disons que ses intentions sont plutôt claires.

J'ai demandé à Mira si elle se sentait prête à ça, mais la seule chose qu'elle m'a répondue, c'est que la question n'était pas là du tout. Je t'écris ici ce qu'elle m'a expliqué :

Mira : Non, tu n'y es absolument pas. Peu importe ce qui pourrait se passer si je vais chez lui, ce n'est pas ÇA qui me dérange !

Moi : Mais alors, qu'est-ce qui te dérange, au juste ? Je suis un peu perdue, je t'avoue...

Mira : C'est sûr, tu n'as jamais eu de **chum** sérieux.

Moi : C'est faux ! Je suis sortie avec Malik et c'était sérieux !

Mira : OK, et vous êtes allés jusqu'où, lui et toi ? Certainement pas plus loin que des petits baisers innocents. As-tu au moins déjà sorti la langue quand il t'embrassait ?

Moi : Pfff ! Bien sûr ! Pas des centaines de fois, mais quand on écoutait des films, c'est arrivé !

Mira : Bon, admettons... Mais n'empêche que tu n'as jamais eu à te poser la question, toi. À savoir si ton **chum** avait le goût de... tu sais quoi !

Moi : Peut-être...

Mira : Donc, comme je le disais, l'important, c'est de le faire attendre le temps nécessaire.

Moi : Ce n'est pas plutôt d'attendre d'être prête ? De sentir que c'est le bon ?

Mira : Aussi, évidemment. Mais Émile, je sais que c'est l'homme de ma vie ! En plus, je suis prête et j'en ai vraiment le goût. Sauf que je veux le faire attendre encore un peu. Mais pas trop. Tout est dans le dosage. Il faut que je trouve le moment parfait. Et ce ne sera certainement pas dans son sous-sol, alors que ses parents sont partis pour la soirée. Je veux quelque chose de grandiose ! Tu comprends ?

Moi : Mouais... je crois...

En gros, ma cousine sent qu'elle veut faire l'amour avec son Émile le débile. Ce que je ne saisis pas du tout! Si je me sentais prête à le faire, c'est certain que j'aurais voulu que ce soit avec Colin. Je pense souvent à lui, d'ailleurs… Je regarde le téléphone et je me dis que je devrais l'appeler. Il doit avoir compris, maintenant, qu'on ne doit pas jouer avec les sentiments des autres. Surtout ceux de sa meilleure amie. Peut-être que je lui téléphonerai après avoir étudié…

Pour en revenir à Mira, dès qu'on a eu terminé nos boissons, on a décidé d'aller faire un tour chez elle, comme avant. On s'est amusées à faire un défilé de mode dans sa chambre, avec tous ses vêtements. C'était tripant d'imiter les mannequins des grands défilés. Je riais tellement que j'ai failli faire pipi dans mes culottes, tu imagines?! Ce n'est pas à n'importe qui que j'avouerais ça!

Ensuite, j'ai annoncé à ma cousine que je partais une semaine pour New York dès samedi prochain. Elle m'a donné des noms de boutiques où je pourrais acheter des robes et des souliers incroyables. Avant de partir, je lui ai dit que je m'ennuyais de nos soirées entre filles et de nos dîners, à l'école. C'est là qu'elle m'a parlé de Malik…

Mira prétend que je l'ai vraiment blessé, le soir où j'ai embrassé Colin. Il a de la difficulté à me pardonner. Mais elle pense aussi (même si je ne la crois pas trop), qu'il aimerait ça revenir avec moi. Elle m'a même suggéré de venir manger avec eux quelques fois, pour voir comment il va réagir. Je ne crois pas que ce soit une bonne idée, par contre. D'abord parce que je ne veux plus sortir avec qui que ce soit. Et ensuite parce que j'aime bien passer du temps avec Annabelle, à la biblio.

Mais ça, je ne l'ai pas dit à ma cousine. Des plans pour qu'elle recommence à la dénigrer. Bon, maintenant que tu sais tout de ma soirée d'hier, il faut absolument que je sorte mes cahiers de maths. L'examen est lundi matin ! Je n'ai presque plus de temps pour me préparer !!

~ 19 h 34 ~

Je viens de téléphoner à Colin. Il n'était pas là. Je ne lui ai pas laissé de message. Ça doit être un signe qu'il faut que j'attende encore un peu avant de lui reparler…

~ 22 h 11 ~

Cream puff ! Avec tout ça, je n'ai presque pas étudié ! Je vais me reprendre demain. Sans faute !

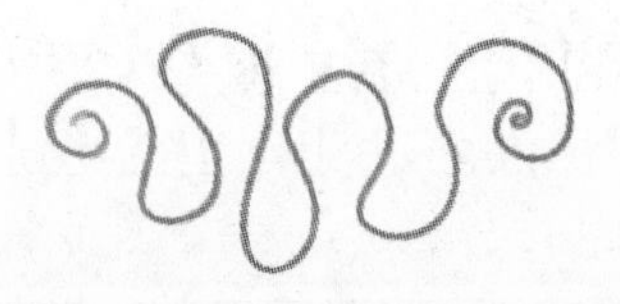

Lundi 17 novembre

~ 7 h 05 ~

Je CA-PO-TE !!! L'examen de mathématiques a lieu ce matin et je suis zéro préparée !!! Oui, j'ai bien étudié un peu samedi et j'ai fait quelques exercices dimanche, mais c'est la faute à ce film, qui passait à la télé, aussi, dimanche après-midi ! Je travaillais tranquillement dans le salon quand Fred est venu s'écraser sur le divan à côté de moi et a ouvert l'écran. Je n'ai pas été assez forte pour lui demander de le fermer…

Mes yeux se sont fixés malgré moi sur les personnages que je voyais et je n'ai pas pu les décoller de là. Même quand le film s'est terminé et que Fred en a mis un autre… et un autre… et un autre !!!

Alors, à cause de Fred, ma culture cinématographique s'est enrichie grandement, mais pas ma capacité à réussir un examen de maths hyper important, par contre !!!

Je ne sais pas quoi faire. J'ai les mains moites, les genoux qui tremblent et j'en oublie mes mots.

Je SAIS que je vais couler ! C'est évident ! Ça m'a total coupé l'appétit pour déjeuner ! Bon, il faut que je m'habille et je ne trouve même pas deux bas pareils. En plus de pocher mes maths, je vais avoir l'air d'un clown !

La vie est trop dure pour moi…

~ 17 h 13 ~

J'ai fini ! F. I. N. I. les mathématiques !! Pour un bon moment, en tout cas !!! J'ai sûrement écrit n'importe quoi sur ma feuille, mais au moins je peux mettre cette pénible journée derrière moi. Et me concentrer sur l'étude des deux prochains examens qui auront lieu demain.

Je déteste la période d'examens…

En tout cas, demain, donc, j'ai français (ça devrait aller de ce côté) et histoire (il me reste plusieurs dates à étudier encore, je vais donc commencer avec cette matière).

Mais avant… un bon chocolat chaud à la guimauve pour me faire oublier le froid d'aujourd'hui. Il a encore neigé. Il va falloir que j'aille m'acheter de nouvelles mitaines. Les miennes laissent passer le vent sur mes pouces. Bien sûr, papa va me dire que c'est ma faute, que je n'ai qu'à ne pas les grignoter… C'est plus fort que moi ! J'aime bien tirer sur

la petite corde en laine qui dépasse. Résultat : je me retrouve toujours avec un trou sur les pouces.

Pendant que je me prépare ma boisson, je vais aussi essayer de retrouver ce quiz que j'avais lu sur le stress que subissent les jeunes pendant les examens. Ça peut sérieusement endommager notre santé ! Je vais ensuite le glisser entre tes pages, cher journal, pour le retrouver facilement.

Quiz

Es-tu stressée ?

Avec les examens de fin de session, les nouveaux amis que tu rencontres, les relations amoureuses que tu vis et les demandes incessantes de tes parents, il peut être difficile pour toi de gérer ton stress. Sans compter que tu dois en plus subir un surplus d'hormones en tout genre !

Mais comme tu le sais sûrement, même si une certaine dose de stress t'aide à rester à l'affût du danger, une trop grande quantité n'est pas recommandée non plus ! Voici un petit quiz afin de savoir si tu es trop stressée par ta vie…

1. Le soir, quand tu te couches dans ton lit…

a) Tu t'endors aussitôt la tête sur l'oreiller. Et il t'arrive même de ronfler dans ton sommeil !

b) Tu fais des rêves étranges dont tu te souviens à ton réveil.

c) Tu peux tourner sur toi-même durant de longues heures avant d'arriver à t'endormir.

2. Quand tu as un travail à remettre à l'école…

a) Tu le fais quelques jours à l'avance et tu as tout le temps pour le réviser.

b) Tu le commences la veille et tu te couches très tard pour t'assurer que tout est correct.

c) Tu t'en souviens le matin même, ce qui te cause d'horribles maux de ventre à l'idée de ne pas pouvoir le remettre à temps.

3. Quand une copine t'appelle pour te proposer une activité...

a) Tu te rends à l'endroit désigné sans te poser de questions.

b) Tu te changes au moins dix fois devant le miroir, avant de choisir ce que tu vas porter.

c) Ta poitrine se serre et ta gorge se noue. Tu te crées des scénarios catastrophes de la soirée et tu passes à deux doigts de tout annuler.

4. Quand un garçon te fait de l'œil...

a) Tu lui souris et te rapproches de lui, pour qu'il puisse t'aborder.

b) Tu regardes ailleurs, la gorge sèche, en espérant qu'il vienne te parler.

c) Tu quittes la pièce rapidement, en prétextant une envie urgente, et tu vas asperger ton visage d'eau, car tu as l'impression que tu vas tomber dans les pommes.

5. Quand tes parents ont des attentes concernant tes résultats scolaires...

a) Tu n'as rien à leur cacher et tu leur montres ton bulletin dès qu'ils le demandent.

b) Tu espères qu'ils ne feront pas trop de cas de ta note en français et tu attends quelques heures avant de glisser ton bulletin dans leur chambre et de te sauver chez ta meilleure amie...

c) Tu trouves des excuses pour ne pas apporter ton bulletin à la maison. Tu leur mens et tu t'emmêles dans tes mensonges, ce qui te donne d'horribles maux de tête.

***Comment calculer ton pointage :** Donne-toi un point chaque fois que tu as répondu A. Trois points pour les B et cinq points pour les C. Ensuite, fais le cumulatif de toutes tes réponses et réfère-toi aux résultats ci-après.

RÉSULTATS :

Tu as obtenu de 5 à 10 points :

En tout cas, ce n'est pas toi qui s'en fais avec des détails ! Tu t'assumes et tu fonces, peu importe le résultat. D'ailleurs, tu n'as peur de rien, ce qui pourrait parfois te causer de vilaines surprises. Un peu de retenue n'a jamais fait de mal à personne. Au contraire, anticiper certains événements pourrait t'éviter de mauvaises surprises. Mais garde ce bel enthousiasme face à la vie, celle-ci n'en sera que plus facile pour toi !

Tu as obtenu de 11 à 19 points :

Une petite dose de stress, c'est primordial. Attention, par contre, de ne pas tomber dans l'excès et de ne pas laisser tes peurs dicter ta conduite. Il ne faut pas craindre les échecs, car ceux-ci nous permettent d'avancer dans la vie. Pour éviter de vivre des périodes de stress trop intenses, tu dois prendre soin de toi. Dormir au moins huit heures par nuit, manger sainement et, surtout, demeurer réaliste en ce qui concerne tes propres attentes. Car souvent, nous sommes des juges très sévères envers nous-mêmes. Et tu mérites autant de clémence qu'un autre !

Tu as obtenu 20 points et plus :

Ouf… pas facile de vivre dans ta tête, n'est-ce pas ? Si tu te rends compte que tu ne vois que le côté négatif des choses, que tu ris ou pleures sans raison, que tu as souvent mal à la tête et que tu te sens déprimée ou fatiguée plus que de coutume, il est peut-être temps d'éliminer tout ce surplus de stress qui t'accable. Certains exercices de respiration profonde pourraient être utiles, ainsi qu'une modification importante de ton horaire. Tu as peut-être trop de choses à faire en une semaine ? Sois vigilante, car ta santé émotive est aussi essentielle que celle de ton corps !

~ 21 h 58 ~

Ah zut ! J'ai commencé par refaire le quiz sur le stress (je suis hyper stressée, faut que je trouve des solutions pour me calmer le pompon !), puis j'ai fouillé dans mes vieilles revues pour faire un tas d'autres tests. Je pense que je suis accro aux quiz… J'espère que ce n'est pas un signe que, plus tard, je risque de devenir accro aux drogues, à l'alcool ou aux jeux de hasard.

Je ne pouvais plus m'arrêter. J'étais comme « hypnotisée » par toutes ces questions. J'en ai fait un intitulé « Es-tu une bonne amie ? », un autre appelé « Le végétarisme, bon ou pas pour toi ? », et un tas d'autres encore dont je ne me rappelle plus les sujets. La preuve que ça ne donne rien du tout de répondre à ces quiz…

De toute façon, je me suis rendu compte que c'était vraiment facile de tricher, à ces tests. Il suffit de comprendre le double sens de la question. Et la plupart du temps, les choix de réponses ne correspondent même pas à ma personnalité ! Bref, tout ça pour te dire que je n'ai PAS étudié pour mon examen d'histoire de demain !!!

Une chance que je suis quand même assez bonne dans cette matière, parce que sinon, ce serait la CA-TAS-TRO-PHE ! Et j'aurais vraiment eu une bonne raison de stresser, cette fois…

Bon, je n'ai quand même pas le choix. Je vais tenter de relire mes notes une dernière fois avant de me coucher. Ensuite, une bonne nuit de sommeil me fera le plus grand bien. En croisant les doigts pour que tout ce stress ne me cause pas de l'insomnie !

~ 22 h 27 ~

Hi, hi, si tu voyais ce que je suis en train de lire dans ces fameuses revues ! Je suis tombée sur le courrier du cœur et c'est fou, les malheurs de ces filles ! Écoute un peu, il y en a une qui se plaint de sa moustache… SA MOUSTACHE ! Je n'avais même jamais songé à vérifier si j'en avais une ! C'est ridicule. Attends un peu, je vais aller me regarder de près dans le miroir de la salle de bain…

~ 22 h 29 ~

OMG ! J'AI UNE MOUSTACHE, MOI AUSSI !!! Elle est foncée et longue ! C'est affreux ! *Cream puff*, comment ça se fait que personne n'ait pris la peine de me le mentionner ?!? À moins que ce soit ce que voulait dire mon frère Anto, quand il me traitait de « garçon manqué » !

Il faut que je trouve une solution ! Je vais lire ce qui est écrit dans la chronique pour savoir comment réagir à ce drame !

~ 22 h 31 ~

Bon, il paraît que je ne dois surtout pas la raser. Une chance que j'ai lu ça, parce que je m'apprêtais à me précipiter sur mon rasoir ! Je peux l'épiler (ouch !) ou la décolorer. Ouais… demain, je fonce à la pharmacie pour acheter le nécessaire !

Et quand ma mère arrivera ici vendredi, je lui parlerai de mon petit problème… de pilosité. Elle va sûrement pouvoir m'aider. Maman passe son temps dans les centres de beauté, alors elle va me donner des trucs, je lui fais confiance. D'ici là, il faut que je trouve un moyen de cacher ma lèvre recouverte de ces poils horribles !

Dire que je me trimballe avec une moustache depuis des semaines… des mois… des années… ?

Oh là là, c'est pire que je ne le croyais !

Mardi 18 novembre

~ 7 h 23 ~

Je ne peux pas partir à l'école avec du poil sur le visage ! Papa m'a dit que ce n'était pas une raison suffisante pour rater mes examens d'aujourd'hui. Il est total sans cœur, mon père ! Et il a dit que je n'avais aucune raison de paniquer, toutes les filles ont du duvet sur le visage.

Il ne sait visiblement pas de quoi il parle, et pour le lui prouver, je vais inspecter la lèvre supérieure de toutes les filles que je croiserai durant la journée et m'assurer que je suis bel et bien la SEULE avec ce problème. (Enfin, il y a aussi cette fille qui a écrit dans le courrier du cœur, alors disons qu'on doit être les deux seules.)

Je vais tenter de cacher le tout avec un foulard dans mon cou que je pourrai remonter sur mon visage si quelqu'un m'observe. Je pense que j'aime encore mieux avoir des boutons sur le menton qu'une moustache sur la lèvre !

~ 17 h 44 ~

Je reviens de la pharmacie avec un tas de produits pour le visage. J'ai un savon à la camomille (la vendeuse m'a dit que ça pouvait pâlir les poils si je vais ensuite au soleil), un gel décolorant (ça me semble assez compliqué à utiliser, par contre) et une crème dépilatoire (même si la vendeuse m'a dit que ça pouvait avoir le même effet que le rasoir…).

J'ai posé tous les articles devant moi et je vais d'abord inspecter chacun de ceux-ci avant de porter mon choix sur l'un d'entre eux. Pas question que je me balade encore longtemps avec ce visage digne d'un singe !

~ 19 h 12 ~

Ne sachant quoi choisir, j'ai appelé Annabelle pour lui demander son avis. J'aurais bien aimé en discuter avec Mira, mais elle avait prévu d'étudier avec son *chum*, ce soir. Elle me l'a dit entre deux cours, quand on s'est croisées dans un des couloirs.

Donc, Anna m'a convaincue de jeter toutes ces crèmes et gels remplis de produits toxiques très mauvais pour la peau. Elle croit que le savon à la camomille, c'est ce qu'il y a de mieux. Surtout qu'en fin de compte mon poil est quand même

assez pâle. C'est juste que si je me colle le visage contre le miroir (tu sais, d'assez près pour qu'on voie les points noirs sur notre nez), JE LES VOIS, CES FICHUS POILS !!!

Ce qui me fait penser que… MALIK DEVAIT AVOIR UNE VISION PARFAITE SUR CEUX-CI, QUAND ON S'EMBRASSAIT !!! Il doit rire dans mon dos et me traiter de femme à barbe ! J'ai tellement honte que je vais tout de suite aller me laver le visage avec ce savon. J'espère voir les résultats rapidement !

Mercredi 19 novembre

~ 7 h 10 ~

Toujours aucun résultat quand je me regarde de près dans le miroir… Pas le choix, je vais devoir remettre un foulard ce matin pour aller à l'école. J'ai vraiment hâte que ma mère arrive pour régler ce problème gênant !

~ 16 h 16 ~

Et c'est reparti pour un autre lavage du visage avec mon savon à la camomille. Même si je ne constate aucun changement, il ne faut pas que je désespère. Ensuite, je me rendrai à mon entraînement de tennis à pied, de manière que le soleil de la fin de journée fasse son travail sur mes poils.

~ 20 h 39 ~

Je m'observais en profondeur et il me semblait que mes poils étaient moins apparents. (Bon signe ! Ça commence à marcher !) Fred (à qui je ne parle presque plus depuis au moins une semaine !) a remarqué mon petit manège. Il est venu me rejoindre dans la salle de bain et m'a demandé ce que je faisais, exactement.

Puisqu'il n'avait pas l'air d'aussi mauvaise humeur que d'habitude, je lui ai raconté mon problème et il a commencé par sourire lentement. Puis, il a eu un genre de hoquet, qui s'est transformé en éclat de rire. Et il s'est mis à rigoler si fort que ses yeux se sont mis à pleurer et qu'il a dû prendre un mouchoir pour les essuyer.

J'étais un peu vexée, mais, en même temps, de voir mon frère de bonne humeur m'a aussi soulagée. Il ronchonne depuis pas mal longtemps, je trouve. J'en ai profité pour lui demander comment il allait.

Moi : Euh... tu as l'air mieux... Ça va ?

Fred : Ouais... je commence à remonter la pente. J'étais pas très agréable ces dernières semaines, hein ?

Moi : Ben... j'aurais pas dit ça de cette façon, mais c'est vrai que je commençais à m'ennuyer de mon frère ! Tu veux me parler de ce qui n'allait pas ?

Fred : Anto m'a avoué qu'il t'en avait glissé un mot...

Moi : Tout ce que je sais, c'est que tu étais avec une fille et que c'est fini. Tu aurais pu nous la présenter, tu ne crois pas ?

Fred : C'est que...

Là, il s'est mordu les lèvres, il a passé une main dans ses cheveux, avant de finir par murmurer :

Fred : C'était pas une fille...

Moi : Mais Anto a dit que tu sortais avec quelqu'un et que tu t'étais fait **flusher**...

Fred : Oui, c'est ça. J'étais bel et bien en couple, mais... pas avec une fille...

J'ai froncé les sourcils pour essayer de comprendre ce qu'il venait de me dire. Ça m'a pris un moment… Je te réexplique, car je sens que tu es aussi perdu que je l'étais tout à l'heure : Fred sortait… AVEC UN GARS !!!

Et c'est comme ça qu'il se décide à me l'annoncer ! J'ai ouvert grand les yeux. J'ai penché la tête vers lui et j'ai attendu qu'il me reconfirme le tout. Oui, oui, il sortait avec un gars avec qui il étudie au cégep, mais celui-ci vient de casser et Fred est donc en peine d'amour. Je lui ai demandé qui dans la maison était au courant et il a dit : « Tout le monde. »

Cream puff! Comment ça se fait que je suis toujours la dernière informée de ce genre de choses ?!? Ma famille me prend vraiment pour un bébé, incapable de piger quoi que ce soit !!! Je suis ultra fru, en ce moment, et pas parce que je viens d'apprendre que j'ai un frère gai (ça, je m'en fiche un peu), mais parce que je suis la dernière qui reçoit ses confidences !!!

Je me demande comment les parents ont réagi quand ils ont appris la nouvelle… Je questionnerai Fred à ce sujet demain. J'espère que ça ne va pas changer ma vision de mon frère, en tout cas.

Mais je ne crois pas.

~ 21 h 01 ~

C'est quand même très bizarre…

Jeudi 20 novembre

~ 7 h 31 ~

Ma mère arrive demain ! Ma mère arrive demain !! Ma mère arrive demain !!!

~ 7 h 48 ~

B. R. A. V. O. Avec tout ça, j'ai manqué l'autobus ! Une chance que papa recommençait à travailler cette semaine et qu'il va pouvoir me reconduire. Naturellement, il risque de ronchonner, mais au moins je n'aurai pas à faire le trajet à pied. Et je pourrai en profiter pour discuter du cas de mon frère avec lui…

~ 16 h 07 ~

Papa n'était pas très content, comme tu t'en doutes. Mais on a eu une bonne discussion. Mon père est pas mal plus ouvert que je le croyais. En fait, il est assez relax avec l'orientation sexuelle de Fred. Il croit que ça ne le concerne pas vraiment. Tant que mon frère se protège et agit intelligemment, il n'a rien à y redire.

Maintenant, j'ai hâte de voir ce qu'en pense maman… Elle sera là dès demain matin !!! Mais je ne pourrai la voir qu'à mon retour de l'école. Avec mon bulletin entre les mains. Ce sont les notes que celui-ci contiendra qui décideront de mon voyage à New York. À part les maths, je sens que j'ai réussi dans tout. Même en histoire, alors que je n'ai presque pas étudié… (La faute à ma moustache!)

Je vais aller préparer mes valises, car normalement je pars samedi matin ! Je veux être prête !

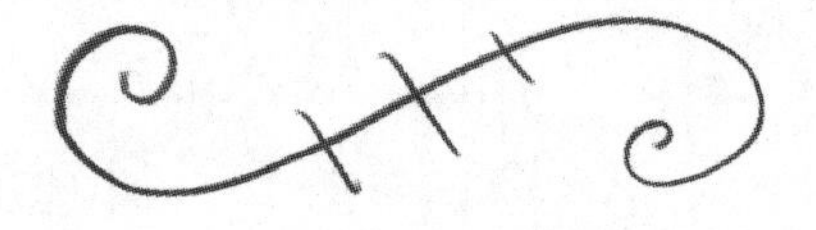

Vendredi 21 novembre

~ 21 h 43 ~

J'ai eu un super beau bulletin! Même en mathématiques, j'ai réussi à obtenir 72 %. Ce n'est pas la note du siècle, mais, dans cette matière, c'est le mieux que je peux faire! Maman est venue souper à la maison et elle est repartie en soirée, avant de m'assurer qu'elle passerait me chercher demain matin, pour notre vol en direction de New York! Nous étions tous super heureux de la revoir. Seul papa est resté un peu en retrait. Ce que j'ai trouvé un peu plate de sa part. Après tout, ils ont beau vivre séparés, ils sont encore mariés, que je sache!

En tout cas, nous avons tous eu un moment spécial avec elle et nous nous sommes ensuite réunis autour de la table pour le souper. Papa avait fait du pâté au poulet. Je croyais qu'il allait plutôt préparer le repas préféré de maman (des cigares aux choux), mais il a vraiment une étrange attitude, je trouve. Un peu comme s'il était en colère contre elle. Pour une raison que j'ignore. Après tout, c'est elle qui a fait le trajet pour venir nous voir, non?

Quand maman est repartie vers son hôtel, j'ai tenté d'avoir une discussion avec papa, mais il m'a simplement dit que ce sont des histoires de grandes personnes. Euh… allo ?! C'est parce que je n'ai plus quatre ans ! Les « grandes personnes », franchement !

Il faut que j'aille me coucher si je veux être en forme pour mon voyage ! Je sens que je vais avoir de la difficulté à dormir. Avant, je vais écrire un courriel à Mira et Anna, pour leur souhaiter une belle semaine… sans moi ! Je pourrais aussi en écrire un à Colin, mais je préfère lui téléphoner à mon retour, je crois. Il serait plus que temps qu'on recommence à se parler, lui et moi. Notre pause a assez duré !

Voici les deux courriels que j'ai écrits à mes deux amies :

À : BelleMirabelle@mail.com
De : Dydy2000@mail.com
Date : Vendredi 21 novembre, 21 h 54
Objet : Le grand départ est demain !!!

Mira !

J'ai tellement hâte à demain, ça ne se dit pas, je crois ! La prochaine fois que je partirai à New York, je t'emmènerai avec moi, c'est promis !! Je ferai les boutiques en pensant à toi et je vais très certainement te ramener un petit quelque chose...

Pendant mon absence, prends bien soin de toi et, surtout, ne fais pas tout ce que te demande ton **chum**. De toute façon, tu sais ce que je pense de lui... À mon retour, on se prévoit une soirée de filles, juste toi et moi, d'accord ? Tu pourras m'envoyer des courriels, car je devrais lire ma boîte de messagerie tous les soirs.

Je dois aller prendre une douche avant mon départ. Mais si tu veux qu'on jase en direct, quand je serai là-bas, il y a toujours Skype !

À plus !

Dylane

XXX

À : Annagrano@mail.com
De : Dydy2000@mail.com
Date : Vendredi 21 novembre, 22 h 12
Objet : J'ai si hâte d'être là-bas !!!

Annabelle !

Dis-moi, es-tu déjà allée à New York, toi ? Je pense que je ne te l'ai même pas demandé. On ne se connaît pas depuis très longtemps, mais je suis vraiment contente de t'avoir comme amie ! S'il y a quelque chose que tu veux que je te rapporte de là-bas, réponds-moi. Je prendrai mes messages presque tous les soirs.

Si jamais tu croises mon frère à l'école, salue-le de ma part. Il va être content que tu lui accordes un peu d'attention. Je suis sérieuse quand je dis que tu lui es tombée dans l'œil, tu sais ! Il me parle de toi sans arrêt. (Il est fatigant, tu n'as pas idée !)

Fais attention à toi. Ne mange rien qui pourrait te faire gonfler comme un ballon et appelle-moi sur Skype, si tu veux me parler en direct. Passe une belle semaine à l'école... hi hi hi ! Moi, je serai en vacances !!!

À plus !

Dylane

XXX

~ 22 h 35 ~

Maintenant que c'est fait, je saute dans la douche et je cours me blottir dans mon lit. J'espère être capable de dormir au moins quelques heures…

Dimanche 30 novembre

~ 10 h 26 ~

JE T'AVAIS OUBLIÉ À LA MAISON !!! Oh cher journal, la semaine a été trèèèès longue, sans toi à mes côtés ! Mais puisque je suis revenue ce matin et que j'ai un tas de trucs à te raconter, aussi bien commencer tout de suite…

Es-tu prêt ?

Un, deux, trois… GO !

D'abord et avant tout, je ne peux pas passer à côté de cette nouvelle : mes parents divorcent…

Ma mère venait principalement chez nous pour faire signer les documents à mon père. C'est la raison pour laquelle elle a préféré dormir à l'hôtel. Ils vivent séparément depuis plusieurs années maintenant et ils se sont éloignés l'un de l'autre. (Évidemment ! Même moi qui ne m'y connais pas tant que ça en matière de couple, j'aurais pu le leur dire !!) Donc, ils en sont venus à la conclusion qu'il était préférable que chacun refasse sa vie sans être marié.

Mais moi, je SAIS pourquoi ma mère voulait à ce point divorcer... C'est parce qu'elle a rencontré quelqu'un d'autre!!! Oui, elle a un nouveau conjoint! Un Anglo (il vient d'Angleterre), nommé Harold Fleming, qui a un accent bizarre autant en français qu'en anglais et qui vit à New York, lui aussi. Et par-dessus le marché, ce fameux Harold (ma mère le surnomme Harry chéri, yark!) a un fils! Oui, oui, un ado de quinze ans qui est total fendant! Il s'appelle Florian. Florian Fleming. FF. Exactement les mêmes initiales que « fils fendant ».

Il me parle de haut et il dit que je baragouine un anglais épouvantable. C'est parce que c'est LUI qui donne l'impression qu'il va vomir dès qu'il ouvre la bouche.

Mais le pire, dans tout ça, c'est que ma mère et Harold ont prévu de se marier l'été prochain! Ce qui fera de FF mon demi-frère!! Comme si je n'avais pas assez des miens!!! Au moins, Sébas, Fred et Anto sont drôles (par moments) et ils m'aiment (bon, pas toujours...). Alors que Florian, lui... il est juste un gros zéro insignifiant.

Le pire, c'est que je n'ai pas appris ça quand maman était chez moi, ni dans l'avion, mais à notre arrivée là-bas! Son Harold était venu nous chercher à l'aéroport. Et ils se sont embrassés devant moi sans la moindre gêne. Je suis restée bouche bée un long moment, jusqu'à ce que je me rende compte qu'un gars me fixait avec un regard moqueur. Quand mes yeux se sont levés vers lui (il est pas mal grand… et maigre!), il a soupiré à fendre l'âme et s'est présenté comme ça:

FF: **Hello**, je suis **Florian**. Tu es Dylane, **I believe**?

Moi: Euh… oui, tu **believe** bien. Et tu es qui, au juste, Florianne?

FF: **Not** Florianne! Mon nom **is Florian**! **Strange accent… Anyway, your** mère **is with my** père.

Moi: **WHAT?!?** Je veux dire… QUOI?!? Mamaaaaan! C'est quoi cette histoire?! Je comprends rien!!!

Et c'est à ce moment seulement qu'elle s'est décidée à tout m'expliquer en détail. Disons que mes vacances démarraient bien mal… Mais je n'avais encore rien vu. On a fait le trajet aéroport-condo de ma mère en silence et une fois sur place, je voulais aller me réfugier dans son bureau, qui me sert habituellement de chambre quand je vais la voir. Sauf que celui-ci avait été converti en chambre pour FF! Plus de chambre pour moi! Aucun endroit pour bouder en paix!

Ma mère m'a alors annoncé que je devrais partager la pièce avec Florian durant mon séjour chez elle. Cet été, Harold et elle comptent déménager dans un appartement plus grand où mes frères et moi auront un endroit juste pour nous, comme avant. Mais en attendant, je devais me satisfaire de la situation…

FF n'avait pas l'air plus content que moi. Surtout que lui, il devrait dormir sur le sofa-lit installé dans sa chambre. C'est à peine s'il m'a adressé la parole lors de la première soirée. J'avais juste le goût de pleurer tellement tout allait de travers. En plus, cher journal, tu n'étais même pas là pour que je puisse me confier.

Seule consolation à travers le désastre qui m'entourait: ma mère m'a prêté son iPad sur lequel je pouvais écrire des messages à mes amis. J'en ai écrit quelques-uns à Mira, mais elle ne me répondait quasiment jamais (trop occupée avec son Émile le débile, j'imagine). Je me suis donc rabattue sur Annabelle, qui n'a pas l'air d'aimer l'ordinateur, car ça lui prenait toujours vraiment beaucoup de temps pour me répondre. Ne me restait qu'une dernière option: Colin.

J'ai passé ma semaine à lui écrire, je crois. Au moins, il me répondait hyper rapidement et essayait de me donner des conseils pour survivre à ma semaine là-bas. Ça nous a fait du bien de communiquer l'un avec l'autre. Après presque un mois sans se parler, disons qu'il était temps.

Mon nouveau beau-père n'est pas si mal, en fait. Harold est même assez drôle. Si seulement Florian n'existait pas, j'aurais peut-être pu passer du bon temps avec ma mère… Mais il était toujours dans mes pattes. Un soir, je l'ai même surpris à fouiller dans mes courriels ! Il a juste dit que je n'avais qu'à ne pas laisser traîner l'iPad ! Quel idiot ! En plus, il ne se mêle jamais de ses affaires. Il m'a dit que Colin avait les cheveux trop longs, pour un gars (je n'aurais jamais dû lui montrer la photo de mon ami sur Facebook), que Fred avait des manières efféminées (il ne l'a même pas rencontré !), que Mira mettait trop de maquillage (sur ce point, par contre, il n'a pas tort), qu'Annabelle devrait changer de lunettes et que mon père faisait bien plus vieux que son âge !

Vraiment, de quoi se faire apprécier… Quand maman est venue me reconduire à l'aéroport, pour mon départ, je n'étais pas tellement déçue de retourner chez moi. Elle a dû le sentir, car elle s'est excusée de m'avoir annoncé la nouvelle de son divorce aussi brutalement. Elle espérait que j'allais comprendre et que je finirais un jour par bien m'entendre avec Florian. (Elle peut toujours rêver !)

J'ai quand même fait des activités juste avec ma mère et ça, c'était cool. On a magasiné elle et moi sur la 5e Avenue et sur une partie de Broadway. À Times Square, j'ai visité le Toys "R" Us le plus gros au monde, je crois ! Je ramène tellement de vêtements dans ma valise que j'ai eu de la difficulté à bien la fermer ! C'est Mira qui va être contente ! On a aussi eu le temps de parler de mon frère Fred. Ma mère est au courant depuis longtemps, il paraît. Lors d'un des séjours de mon frère à New York, il en a profité pour le lui dire. Elle a trouvé ça *strong*. (Je trouve que ma mère commence à parler un peu trop en anglais ; elle en perd son français !) Mais comme elle aime son fils, elle a accepté la chose avec philosophie.

Avant de partir, j'ai promis à Colin, dans mon dernier courriel, que je l'appellerais dès mon arrivée. J'ai si hâte de le revoir que c'est ce que je vais faire à l'instant. Je reviendrai écrire plus tard, promis !

~ 20 h 46 ~

Je suis troooop fatiguée. Mes yeux ferment tout seuls... Mais avant, je veux prendre quelques minutes pour te raconter mes retrouvailles avec

Colin. Ça paraît que tu m'as manqué, cher journal ! Je ne peux plus m'arrêter d'écrire.

Donc, Colin s'est précipité chez moi dès que je lui ai téléphoné. Il n'a même pas pris la peine de cogner qu'il rentrait déjà dans la maison. Et il m'a bien fait rire en me faisant virevolter dans les airs. C'est drôle, mais j'ai eu l'impression qu'il avait grandi. Pourtant, ça ne fait qu'un mois qu'on ne se fréquente plus…

Comme j'étais assez proche de lui à ce moment, j'ai remarqué qu'il avait le visage rugueux et un peu plus foncé que d'habitude. Je lui en ai aussitôt fait la remarque et il m'a avoué qu'il avait commencé à se raser depuis quelques semaines. Il n'a pas le choix, il commence à avoir trop de poils sur le menton et sur les joues. Ça m'a fait bizarre d'imaginer mon ami avec une barbe. Par chance, lui n'a pas fait de commentaire sur ma moustache… Il faut dire qu'avec le savon que j'utilise, elle ne paraît presque plus. Ouf !

On s'est ensuite installés dans ma chambre et il a voulu que je lui reparle de ma semaine à New York, même s'il en connaît presque chaque détail grâce aux courriels que je lui ai envoyés. Il m'a dit que Florian ne lui faisait pas une très bonne impression et que lui aussi le trouvait pas mal fendant. Je lui ai montré une photo que j'ai prise avec l'iPad de ma mère et il a aussitôt changé d'expression.

Colin : Ah ouin… Il a l'air de ça ?

Moi : Oui, mais là, il est en pyjama. On ne voit pas bien son look habituel.

Colin : Et tu dormais dans la même chambre que lui ?

Moi : Hum, hum… Une chance qu'il ne ronflait pas !

Colin : Il est pas mal grand… et maigre, hein ?

Moi : C'est aussi ce que je me disais, mais finalement il est assez musclé.

Colin : Comment tu sais ça ?

Moi : Ben, quand il sortait de la douche, je le voyais sans chandail.

Colin : … En tout cas, il a vraiment l'air fendant, je te l'accorde !

Moi : C'est ce que je répète depuis le début ! On dirait qu'il sait qu'il est mignon et qu'il se pense plus intelligent que tout le monde.

Colin : Tu le trouves mignon ? Pas moi, en tout cas !

Moi : Bof, il a de beaux cheveux blonds. Mais c'est tout ce qu'il a. Je le verrais avec Mirabelle. Je pense qu'il passe autant de temps qu'elle devant le miroir !

Colin : Bon, je suis tanné de parler de lui. Ça te tente d'aller boire un chocolat chaud à la guimauve ?

Moi : Ouiiiiii !!!

Et on est partis en vitesse au resto pas très loin de chez moi. C'était génial de se revoir. Il m'a raconté son mois à s'entraîner et à étudier pour les examens de fin de session. Moi je lui ai parlé d'Annabelle, ma nouvelle amie. Il ne la connaît pas personnellement, mais il sait de qui il s'agit. On a vaguement parlé de ma cousine. Colin est content

de ne plus sortir avec elle, car il s'est rendu compte qu'ils n'avaient rien en commun tous les deux.

On a aussi discuté de la pierre au rein de mon père, mais pas de la fameuse soirée de danse, à l'école. Je pense que tout a été dit à ce sujet. Et on fait mieux de mettre ça derrière nous. Je lui ai demandé s'il fréquentait une fille et il a secoué la tête. Lui non plus n'a pas tellement envie d'être en couple.

Donc, tout va pour le mieux ! J'ai retrouvé mon meilleur ami et on a prévu de recommencer à s'entraîner ensemble. Avec le mois de décembre qui commence demain, on va même essayer de se faire des sous en gardant des enfants pour payer les cadeaux de Noël que l'on veut acheter. On a fait ça, l'an passé, Colin et moi. On gardait les enfants du voisinage ensemble. C'était cool. Il va falloir qu'on installe des affiches un peu partout et qu'on communique avec nos anciens clients.

Sur ce, je te laisse avant de m'endormir sur toi, cher journal…

DÉCEMBRE

« J'ai fait ma liste de cadeaux de Noël et j'y ai mis au moins CINQ CENTS trucs !

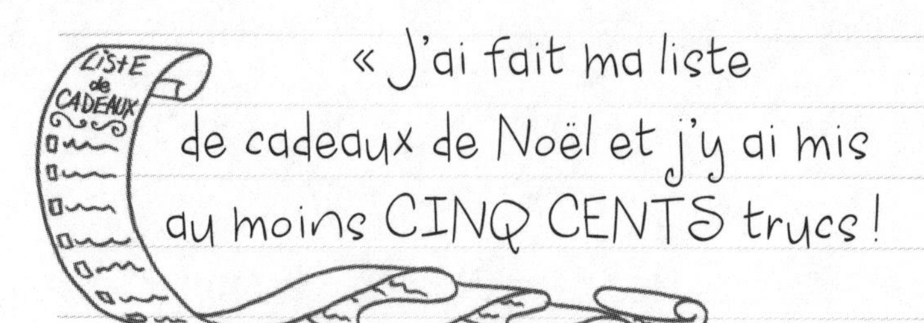

Colin et moi, on va garder DEUX enfants.

coin coin

Florian va venir à Montréal pour les Fêtes et il va rencontrer mes TROIS frères.

Ça risque de faire des flammèches... »

Lundi 1er décembre

~ 7 h 09 ~

Ce matin, je dois m'habiller super vite, car Colin a prévu de venir déjeuner à la maison avant de prendre l'autobus avec moi. En plus, il fait hyper froid dehors et papa devra m'acheter un nouveau manteau, je crois bien. Le mien laisse passer le vent au travers et en plus, la semaine dernière, Mira m'a fait la remarque suivante :

Mira : Ton manteau, il est passé de mode. Tu le savais ?

Moi : Ah non. Je pensais que le noir était encore au goût du jour.

Mira : Le noir, oui, mais pas la coupe ! Tu ne connais vraiment rien à rien, Dylane, quand il est question de vêtements !

Moi : On dirait que c'est une insulte...

Mira : Voyons ! Ne sois pas si susceptible. Tu es bonne dans des tas d'autres trucs. Mais pas en ce qui concerne la mode, c'est tout.

Moi : Mouais... En tout cas, je devrais m'acheter quel genre de manteau, alors, selon toi ?

Mira : Quelque chose de plus ajusté, c'est clair. Et aussi un peu plus court.

Moi : Plus court ?! Mais je vais geler ! En plus, je crois qu'un manteau devrait cacher mes fesses ! Sinon, je ne pourrai jamais m'asseoir nulle part.

Mira : Écoute, tu fais comme tu l'entends. Moi, je voulais juste te recommander ce qui est à la mode. Ensuite, c'est toi qui décides si tu veux souffrir pour être belle...

Je ne sais pas si je veux réellement souffrir, mais j'aimerais bien être plus à la mode. Ça, c'est certain ! Je vais demander son avis à Colin aujourd'hui. Il me dira ce qu'il en pense. Voilà un aspect positif du fait d'être redevenue amie avec lui. Ça me permet de savoir ce qu'un gars pense de toutes ces histoires de mode. Et de voir comment il perçoit mon côté féminin. Par contre, Colin est un peu différent des autres. Il aime les filles au naturel. Enfin… avant de sortir avec Mirabelle ! Elle, il l'aimait avec tout son maquillage, ses artifices et ses vêtements dernier cri.

Mais leur couple n'a pas duré bien longtemps…

Ce qui me porte à croire que, malgré tout, Colin apprécie davantage les filles comme moi. Bon, *cream puff*, voilà que je recommence. Il ne faut pas que je me refasse des idées concernant mon ami. Il a été assez clair. Il ne m'aime pas. Pas comme je le voudrais, du moins.

Et si je continue d'écrire, je ne serai pas prête quand il arrivera. À plus, cher journal !

~ 16 h 34 ~

Papa m'a promis de m'acheter un nouveau manteau demain ! Il faut dire qu'il n'a pas eu le choix. Je marchais dans la rue, juste après l'école, quand j'ai senti que quelqu'un tirait sur ma manche pour que je me retourne. C'était Mira, qui m'appelait depuis un moment déjà, sauf que je ne m'en étais pas rendu compte à cause du vent et de ma tuque, bien enfoncée sur mes oreilles.

J'ai alors entendu un CRAC! (Bon, je ne l'ai pas réellement entendu… je te représente l'image de la chose et c'est le seul bruit qui m'est venu à l'esprit.) Mon manteau venait de se déchirer sur toute la longueur! Et le pire, c'est que Mira s'est à peine excusée. Elle avait seulement en tête de me dire que son Émile le débile l'avait invitée à passer la soirée chez elle, vendredi, alors que ses parents ne seront pas là. Elle flippait complètement et avait besoin de mes conseils.

Non… je sais très bien qu'elle ne voulait pas mes conseils, puisque je n'ai AUCUN conseil intelligent à lui donner. Mais quoi?! Je ne sais pas du tout ce que je ferais, si j'étais à sa place! En fait, ma cousine veut surtout en parler avec quelqu'un et il se trouve que je suis la seule qui est capable de garder un secret. Ça, elle le sait très bien.

La preuve, la dernière fois qu'elle a parlé de ses histoires de couple avec Ariane, celle-ci s'est fait un plaisir malsain de tout répéter aux filles de sa gang. Ça avait rapport avec Colin, en plus! Mira lui avait dit que mon meilleur ami faisait de drôles de mouvements avec sa langue, quand il l'embrassait.

En fin de compte, je suis contente que ce ne soit pas à moi qu'elle ait fait une telle confidence, parce que je me serais sentie super mal pour Colin. Surtout qu'à l'époque je l'aimais en secret…

Plus maintenant ! Oui, parfois, je l'avoue, j'ai de minimes rechutes, mais rien de bien sérieux. J'aime autant être amie avec lui. C'est beaucoup plus agréable. Ainsi, il n'y a pas de malaises entre nous deux et on peut tout se dire. Comme le fait que Colin a un petit béguin (coudonc, une vraie girouette, lui, avec les filles !) pour une fille de secondaire deux. Oui, oui, une fille en deux !

Le pire, c'est qu'il m'a raconté ça normalement, sans se sentir mal du tout. OK, il a juste dit qu'il trouvait que cette fille était pas mal belle, mais j'ai vite compris qu'il avait le goût de sortir avec elle. Pour le prouver, je reproduis notre conversation à la cafétéria juste ici :

Colin (en s'assoyant en face de moi) : Oups, j'ai failli accrocher Justine en revenant avec mon plateau.

Moi : Justine qui ?

Colin : La fille là-bas.

Moi : Je ne la vois pas.

Colin : Mais si, c'est celle qui a les cheveux blonds et qui est **cute**.

Moi : Attends, tu parles de Justine Lagacé? Qui est en secondaire deux?!

Colin : Ouais, c'est en plein ça.

Tu VOIS?! C'est évident que Colin a le *kick* sur elle! Il va falloir que je reste à l'affût de ce béguin... Après tout, on ne la connaît pas vraiment, cette Justine Lagacé! Elle pourrait très bien être jalouse au point de m'empêcher de me tenir avec mon meilleur ami!

Cela dit, je dois partir pour mon entraînement de tennis. Papa a promis d'aller me reconduire, étant donné mon problème de manteau déchiré... Je l'entends qui commence à s'impatienter. Vite, il faut que je change de vêtements!

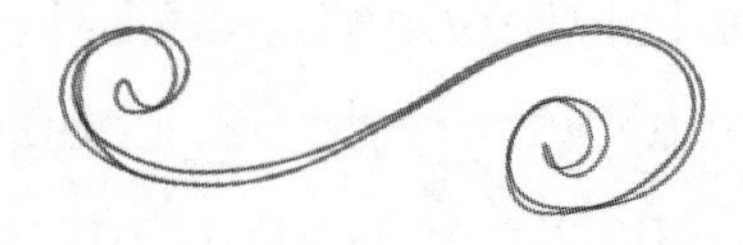

Mardi 2 décembre

~ 19 h 21 ~

J'AI UN NOUVEAU MANTEAU ULTRA MÉGA À LA MODE!!! Je suis folle de joie et j'ai juste trop hâte de pouvoir le montrer à ma cousine, dès demain ! Comme je ne suis pas capable d'attendre, je vais me faire prendre en photo avec mon manteau et je vais lui envoyer le tout par courriel ! Elle ne pourra pas dire que je suis démodée, c'est clair !

Mon manteau est mauve et il m'arrive juste sous les fesses. Évidemment, je ne pourrai plus m'asseoir un peu partout, mais, comme le dit Mira, il faut souffrir un peu pour être belle. Au pire, je m'assoirai sur mes mains. En plus, mon père a accepté de m'acheter de nouveaux accessoires tels qu'une tuque noire, un foulard et des gants de la même couleur. J'ai troooop de classe, avec tout ça !

S'il m'avait permis de me choisir les bottes qu'on a vues en pleine vitrine de la boutique de chaussures, mon bonheur aurait été parfait ! Mais je devrai me contenter de mes vieilles bottes défraîchies…

Papa a dit qu'il avait assez dépensé d'argent et qu'il devait aussi penser à mes frères, qui ont tout autant besoin de nouveaux vêtements que moi. C'est ça, le désavantage de vivre dans une grande famille. En plus, mes frères travaillent, eux ! Anto et Fred, du moins. Et ils peuvent très bien se les payer, leurs manteaux ! Surtout qu'Anto se fout un peu de ce qu'il porte et qu'il ne va rien demander à papa, je parie.

Je crois que ce n'était qu'une excuse de la part de mon père pour ne pas m'acheter mes bottes. Parfois, je le trouve pas mal égoïste ! Moi, si j'avais des enfants, je voudrais tout le temps leur faire plaisir et leur acheter ce dont ils ont besoin. Surtout que si j'ai les pieds mouillés à cause de mes bottes, je tomberai malade. *Cream puff*, quel père voudrait que sa SEULE fille soit malade ?! À part le mien ???

AUCUN !!!

Mais bon, au moins, le mien cuisine le meilleur chocolat chaud à la guimauve… Je sais qu'il est en train d'en préparer pour tout le monde. Je vais aller lui en demander une tasse.

Jeudi 4 décembre

~ 16 h 06 ~

Bonne nouvelle ! Tout comme l'an dernier, Colin a demandé à ses voisins s'ils avaient besoin qu'on garde leurs enfants pendant qu'ils feraient leurs emplettes de Noël. Il reste encore plusieurs semaines avant les Fêtes, mais souvent ceux-ci veulent s'y prendre à l'avance. Et... ils lui ont justement dit que, demain soir, nous pourrions garder les jumeaux.

Ah, parce que j'ai oublié de te le mentionner, mais ils ont des jumeaux (Mathis et Maxime) âgés de cinq ans et hyperactifs. C'est d'ailleurs la raison pour laquelle ils ont autant de difficulté à trouver quelqu'un pour garder leurs enfants. Mais Colin et moi, on aime bien les jumeaux.

Ils ont toujours mille et une idées complètement folles. Et puisque nous sommes très actifs, mon ami et moi, il nous en faut pas mal pour nous épuiser. Même si bien souvent, à la fin de la soirée, quand les parents reviennent, on ne rêve que de mettre notre tête sur l'oreiller...

Je dois donc leur préparer des activités qui les tiendront occupés, demain soir ! Colin se charge de la partie bouffe et bonbons. Moi, je vais plutôt me concentrer sur les jeux qu'on pourra faire dehors. Tiens, ça me rappelle cet article que j'ai lu, le mois dernier, sur des trucs pour devenir un gardien averti du tonnerre ! Je vais essayer de mettre la main dessus tout de suite…

Comment être une gardienne d'enfants du tonnerre

Tu cherches un premier emploi ? Tu aimes les enfants et tu n'as pas peur de bouger...? Être gardienne d'enfants pourrait s'avérer l'option tout indiquée pour toi ! Mais avant tout, tu te dois de connaître certains trucs qui pourraient grandement t'aider.

En voici quelques-uns qui te donneront une petite base. Toutefois, si tu es sérieuse dans ton désir de garder des enfants, le mieux serait de suivre le cours de gardien averti, avec lequel tu obtiendras ton diplôme de secourisme. Informe-toi auprès de ton école. Celle-ci devrait avoir les informations nécessaires pour t'aider.

1. LA PREMIÈRE FOIS :

Il est recommandé d'arriver quinze ou vingt minutes à l'avance lorsque tu dois garder de nouveaux enfants. À la fois pour montrer ton sérieux aux parents et pour te familiariser avec les lieux. Demande-leur de te faire visiter leur maison et de te présenter les enfants dont tu auras la charge. Si c'est

possible, demande-leur de te donner une liste de leur routine habituelle. Ainsi, tu seras informée de l'heure à laquelle les enfants doivent se coucher, de leurs petites habitudes du dodo et des détails aussi insignifiants que la couleur de leur brosse à dents !

2. LE SALAIRE :
Il est bon de discuter du salaire avant ta venue dans la maison. Ainsi, pas de mauvaises surprises pour toi. Tu peux demander un montant de 5 $ l'heure. Mais selon le nombre d'enfants dans la maison, tu peux augmenter légèrement ce chiffre. Si tu as beaucoup d'expérience, tu peux aussi hausser ton salaire. Même chose si l'on te demande de t'occuper de plusieurs tâches telles que la préparation du souper ou le ménage.

3. LES COURS DE FORMATION :
Tu trouveras des cours offerts dans toutes les municipalités, dans les écoles ou dans les centres communautaires. Ils durent huit heures et sont donnés aux jeunes de onze ans et plus. Tu y feras des tas d'apprentissages qui t'aideront à résoudre les conflits, à gérer les petites crises et à donner les soins de base aux enfants. Sans compter que tu suivras un cours de secourisme très important

lorsqu'on doit prendre soin des plus jeunes. Ces cours sont donnés autant aux filles qu'aux garçons, alors n'hésite pas, si tu songes à les suivre !

4. QUESTIONS À POSER :

Plusieurs détails doivent être réglés dès ton arrivée dans la maison. Ne sois pas gênée et pose toutes les questions suivantes, si tu veux devenir la meilleure gardienne qui soit !

- Informe-toi à propos de ce que l'on attend de toi : donner le bain au bébé, l'heure du coucher, les repas et les collations en soirée.
- Demande qu'on te laisse un numéro de téléphone pour joindre les parents, en cas d'urgence.
- Peux-tu avoir une amie pour t'aider durant la soirée ? Si c'est le cas, tu devras la leur présenter, évidemment.

* **Dernier détail :** Si tu as un cellulaire, évite de l'utiliser durant toute la soirée. Tu es là pour t'occuper des enfants et t'amuser avec eux. Bien sûr, tu peux l'apporter avec toi, mais attends d'avoir couché tout le monde avant de l'ouvrir. Et... évite d'écrire des commentaires sur Facebook, tandis que tu gardes. Les parents n'apprécieraient sûrement pas !

Vendredi 5 décembre

~ 7 h 15 ~

Hier, j'ai passé la soirée complète à préparer des activités trop *hot* pour les jumeaux ! Je sens qu'on va avoir du plaisir. Surtout que Colin n'hésite jamais à participer à tout ce que je propose, d'habitude. Si ça le tente, on pourra dîner ensemble pour en jaser !

Comme on doit garder dès notre retour de l'école, je pense qu'on va se rendre directement chez les voisins de Colin. Je te raconte tout à mon retour…

~ 23 h 48 ~

Je suis É-PUI-SÉE ! Éreintée !! Lessivée !!!

Les jumeaux m'ont vidée de toute l'énergie que je possédais…

Je vais me coucher. Je te raconterai tout demain.

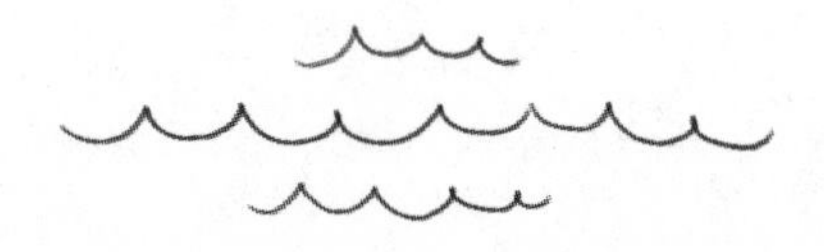

Dimanche 7 décembre

~ 10 h 26 ~

Argh ! Papa est venu me réveiller. Il était un peu trop de bonne humeur, je trouve. Première fin de semaine de décembre, c'est le temps d'aller chercher un sapin de Noël. Il y a deux ans, on a dû jeter le vieux sapin synthétique que nous possédions depuis au moins quinze ans. Il commençait à pencher vers la droite et il perdait toutes ses aiguilles. Alors, mon père a pris la résolution de n'acheter que des sapins naturels, à l'avenir.

Il dit que c'est meilleur pour l'environnement.

Et il veut que toute la famille vienne avec lui. Alors il va falloir que je me lève et que je me prépare. Dire que je pensais pouvoir faire la grasse matinée…

Grrr !

~ 10 h 59 ~

En plus, je viens de faire une recherche rapide sur Internet et il paraît que les sapins naturels sont

hyper mauvais pour la planète ! Parce qu'une fois que l'on jette les arbres, il faut les faire brûler pour les détruire et que la fumée produite par le feu est toxique ! Je vais aller le dire à papa pour voir ce qu'il a à me répondre !

~ 11 h 02 ~

Papa dit que ça ne change rien du tout. On part dans dix minutes et je dois me dépêcher. Il a même levé le ton quand j'ai commencé à argumenter ! Pas moyen de parler dans cette maison !

~ 14 h 36 ~

Enfin de retour ! Nous sommes allés faire un tour dans un marché à au moins trente minutes de chez nous. Papa n'arrivait pas à se décider sur le sapin que nous devions prendre. Il en voulait un pas trop gros mais quand même assez volumineux. Léger mais imposant. Bref, il ne savait pas ce qu'il voulait ! En plus, une fois qu'il a eu fixé son choix, il s'est mis à essayer de faire baisser le prix du sapin en question. Le vendeur avait l'air désespéré. Surtout que c'était un jeune de l'âge de Fred, je crois.

Ils se connaissent, d'ailleurs, car Fred et lui ont jasé ensemble, pendant que papa essayait de faire tenir le sapin sur le toit de notre voiture. Il disait des tas de gros mots (du genre qui m'aurait valu une punition si MOI, je les avais dits...) et il n'arrêtait pas de nous donner des ordres. Mais Anto était hypnotisé par son cell, assis dans la voiture, Fred parlait tranquillement avec le vendeur et Sébas avait disparu entre les sapins du petit marché. Bref, il ne restait que moi pour l'aider.

Je n'étais pas de très bonne humeur, tu t'en doutes bien ! En plus, je me suis grafigné les mains à force de tenir la corde pour attacher le sapin. Ensuite, papa a retrouvé le sourire et nous a tous invités à dîner dans un restaurant de patates frites. Ce n'est pas très bon pour les reins de mon père (je ne me suis pas gênée pour le lui dire), mais ça tombait bien parce que j'avais pris mon déjeuner sur le pouce et mon ventre n'arrêtait pas de gargouiller.

Mes frères ont décidé de me laisser décorer le sapin toute seule, car ils ont d'autres choses à faire aujourd'hui. Papa m'a dit que je pouvais appeler un ami pour cela. J'ai toute de suite pensé à Colin, mais je me suis rappelé qu'il avait un entraînement cet après-midi. Mira passe évidemment son dimanche avec son *chum*. Reste Annabelle. J'espère qu'elle n'est pas allergique aux sapins !

Sinon, elle pourra toujours m'observer en sirotant une tasse de chocolat chaud à la guimauve, préparé avec du lait de soya. Je vais tout de suite l'appeler pour le lui proposer.

~ 14 h 42 ~

Annabelle s'en vient ! Et elle va pouvoir m'aider, car elle n'a pas de problème avec les sapins. Elle aussi va en choisir un chaque année pour chez elle. En attendant qu'elle arrive, je vais donc te raconter ma soirée de gardiennage. Je devais tout te relater hier, mais j'ai passé la journée avec Colin, donc je n'ai pas eu le temps.

Alors voilà, quand nous sommes arrivés chez les jumeaux, ils étaient déjà dans leur salle de jeux, à sauter sur le trampoline. (Ce mot, je le déteste ! Je trouve que ça devrait clairement être au féminin, trampoline, et non au masculin. Je passe mon temps à me tromper, et même quand je l'accorde correctement, on dirait que je viens de faire une faute !)

Donc… comme je le disais, Mathis et Maxime habitent dans une grande maison où une salle de jeux aussi vaste qu'un garage leur a été allouée. Ils sont vraiment chanceux ! Je ne sais pas ce que j'aurais donné pour avoir un endroit pareil quand j'étais petite ! Bref, ils sautaient comme des fous sur LE trampoline. (Yark!) Ils avaient ajouté des tas de ballons mous sur le filet central et donnaient joyeusement des coups de pied dessus. Moi, je ne trouvais pas ça très sécuritaire, alors je leur ai demandé de les enlever, mais rien à faire, ils ne m'écoutaient pas du tout. J'ai donc pris les grands moyens… J'ai moi-même grimpé sur le trampoline et j'ai lancé les ballons à l'extérieur.

Les jumeaux se sont mis à crier après moi et à me sauter dessus. Je pense qu'ils étaient fous de joie à l'idée de me faire tomber à la renverse, alors je me suis prêtée au jeu durant un bon moment. Puis, les parents sont partis pour de bon et Colin est allé nous préparer à souper (du macaroni, super facile à faire pour Colin qui se fait très souvent à manger tout seul).

On a continué à sauter sur le trampoline jusqu'à ce que Colin nous appelle. On est allés le rejoindre dans la salle à dîner et les jumeaux n'ont presque rien mangé. Ils ont un appétit d'oiseau ! Moi, en tout cas, j'avais une faim de loup et j'ai dévoré DEUX assiettes. Une chance que Mira n'était pas là pour me voir. Elle m'aurait sans doute jugée pour tout ce que j'ai ingurgité… Mais elle aurait eu tort, car j'ai sûrement dépensé toutes ces calories lors de la soirée qui a suivi…

On a joué à la cachette avec les jumeaux, puis au soccer dans leur salle de jeux, et je leur ai donné des leçons de tennis, jusqu'à ce qu'il soit l'heure du coucher. Les gars se sont effondrés sur leur lit sans même se brosser les dents. Je les aurais bien réveillés pour qu'ils le fassent, mais Colin a dit qu'ils dormaient si paisiblement que ce n'était pas la peine. Après tout, ce n'est pas un soir sans brossage qui leur donnera des caries !

Ensuite, mon ami et moi on a joué aux cartes en écoutant un peu la télévision et en rigolant. Les parents des jumeaux sont arrivés bien après la fermeture des magasins. Je les soupçonne d'avoir profité de leur soirée pour prendre du bon temps loin de leurs enfants ! Mais je les comprends. Ils doivent être épuisés à la fin de leur semaine avec Mathis et Maxime !

Oh, Annabelle vient d'arriver dans le salon. Je n'avais même pas averti Sébas, qui est entré en coup de vent dans ma chambre pour me le reprocher. Avoir su, il se serait changé…

Je te laisse, je m'en vais décorer mon sapin de Noël !

~ 20 h 35 ~

Mon sapin est trop beau ! J'ai laissé les lumières allumées et je peux voir les merveilleuses

couleurs qui se reflètent sur le mur du corridor, près de ma chambre. C'est pourquoi j'ai ouvert ma porte, même si d'habitude je préfère avoir la paix à cette heure.

Annabelle m'a invitée à venir décorer son propre sapin la fin de semaine prochaine. J'aimerais ça, mais, durant le souper, papa a plutôt proposé qu'on aille faire du ski alpin, samedi et dimanche. On dormira à l'hôtel, près des pistes, et je n'aurai pas le temps de voir mon amie.

Je ne veux pas décevoir Anna, mais j'aime cent fois mieux aller skier que décorer un sapin. Je n'ai pas encore eu le temps de le lui annoncer. Je le ferai demain. En plus, Colin est souvent venu avec nous, les années passées, pour skier. Alors j'imagine qu'il n'y aura pas de problème pour que je lui demande de se joindre à nous !

Et comme ils annoncent une ÉNORME tempête vers la fin de la semaine, on aura de la neige à profusion !

Mardi 9 décembre

~ 16 h 04 ~

Les lumières du sapin sont tellement belles que je les allume dès que je reviens de l'école. J'adore voir l'éclat sur les murs…

Décembre, c'est vraiment mon mois préféré.

Non, en fait, ce n'est pas décembre qui me plaît, mais le fait que Noël approche ! J'ai trop hâte. Il va d'ailleurs falloir que je prépare ma liste de cadeaux. Ma mère me demande toujours ce que je veux et je ne sais jamais quoi lui répondre. Cette fois, je vais m'y prendre à l'avance. Ce soir, je commence ma liste !

~ 21 h 27 ~

Hum… pas évident. Je pense que si je veux trouver des idées, je vais devoir fouiller dans les publicités que l'on reçoit toutes les semaines. Je vais voir s'il y en a dans le bac de recyclage.

~ 21 h 53 ~

Rien dans le bac. J'ai été obligée de le virer à l'envers pour tenter de voir ce qui se trouvait tout

au fond. Et là, papa est arrivé dans mon dos et m'a fait sursauter en me criant dessus. Il m'a forcée à tout ramasser et il m'a envoyée dans ma chambre ! Encore ! J'ai vraiment l'impression qu'il me prend pour un bébé ! Je déteste ça.

Évidemment, je n'aurais pas laissé traîner mon bordel !

Bon, OK, si je n'avais pas répondu impoliment, il ne se serait peut-être pas fâché autant. Mais ce n'est pas ma faute. Je pense que ce sont mes hormones qui me contrôlent, parfois. D'ailleurs, je crois que je vais bientôt avoir mes règles. C'est juste normal que je sois si prompte à réagir. Papa devrait comprendre ça. Si je n'étais pas la seule fille ici, ce serait plus facile !

Mercredi 10 décembre

~ 7 h 13 ~

Je n’ai pas pu résister, ce matin : j’ai allumé les lumières de Noël en me levant. C’est juste trop beau !

~ 16 h 01 ~

Dès mon retour de l’école, je me suis dépêchée d’aller fermer les lumières. C’est qu’Anna m’a dit que c’était hyper dangereux de les laisser allumer tout le temps ! Il paraît que les sapins naturels peuvent flamber d’un coup sec. Surtout si on ne met pas assez d’eau à leur base. Alors je suis allée lui en rajouter et j’ai fait un dégât sur le plancher. J’ai tout nettoyé avant que papa ne s’en rende compte (des plans pour qu’il se mette encore en colère contre moi).

C’est terminé. Je ne vais plus allumer le sapin du tout, je crois. Dire que ma maison aurait pu passer au feu pendant la journée ! J’en ai des frissons juste à y penser. À l’école, j’étais total déconcentrée à cause des lumières et je me le suis fait

reprocher par le prof d'histoire, Cousineau. Il m'a humiliée devant toute la classe en me demandant ce qui me chicotait de la sorte. J'ai tout de suite parlé des lumières et TOUS les élèves ont éclaté de rire. TOUS !

J'ai eu l'air d'une idiote. Ils peuvent bien rire, eux. *Cream puff !* Ce n'est pas leur maison qui était sur le bord de flamber ! Cousineau leur a dit de se taire en expliquant que ce genre de situation pouvait effectivement se produire quand le sapin s'assèche. Mais comme on vient d'acheter l'arbre, il y a peu de risque que ce soit déjà le cas. Bref, il m'a dit que je paniquais sûrement pour rien.

Après le cours, j'ai commencé à avoir mal au ventre. Au début, je croyais que c'était parce que j'étais nerveuse et que j'avais peur pour ma maison. Mais quand je suis allée aux toilettes des filles, j'ai vu que j'avais du sang dans ma culotte. La honte ! Il n'y avait qu'une petite tache, mais je ne pouvais pas retourner en classe sans mettre une serviette hygiénique. Sauf que je n'en avais pas apporté.

Je ne sais pas comment j'ai calculé mes affaires, mais il me semble que je suis un peu en avance sur mes règles. Sans compter que d'habitude ça ne me fait pas mal du tout. Je dois être

déréglée par tout ce stress que je vis à cause de l'incendie…

Bref, j'ai mis du papier de toilette dans ma culotte et je suis partie à la recherche de ma cousine. Je me suis dit qu'elle devait avoir des serviettes dans son sac. Quand je l'ai trouvée, je lui ai expliqué rapidement la situation et elle m'a tirée vers son casier pour me donner en cachette un petit bout de plastique. Je n'ai pas tout de suite compris de quoi il s'agissait.

Moi : C'est quoi… ?

Mira (en chuchotant) : Un tampon… C'est tout ce que j'ai…

Moi : Hein ?! Je ne savais pas que tu utilisais ça. Je n'en ai jamais mis. Je ne sais pas comment faire.

Mira : C'est pas compliqué. Il faut que tu te l'insères dans…

Moi : NON ! Laisse faire, je vais trouver quelqu'un d'autre qui a une serviette, je pense.

Mira : Qui ? C'est pas ton ami Colin qui va pouvoir t'aider sur ce coup-là !

Moi : Penses-tu qu'Ariane... ?

Mirabelle a haussé les épaules, indifférente. Il faut dire que depuis quelque temps, elle ne se tient presque plus avec la gang de filles. Elle préfère manger avec son *chum*. Ariane lui en veut, je crois. Alors j'ai décidé d'aller plutôt voir Annabelle. J'étais convaincue qu'elle était mon dernier recours. Mais quand je l'ai enfin trouvée, voici ce qu'elle m'a dit :

Anna : Une serviette ? Non, je n'en utilise jamais, désolée.

Moi : Toi aussi tu prends des tampons ? Zut...

Anna : Non plus.

Moi : Mais comment tu fais, alors, quand tu as tes règles ?

Anna : J'ai une DivaCup.

Moi : Une quoi ?

ANNa (en articulant len-te-ment) : Une Di-va-Cup. Attends, je vais te montrer, je la traîne toujours avec moi, au cas où j'en aurais besoin.

Elle a fouillé dans son sac et en a sorti un petit étui qu'elle a ouvert devant moi. Une chance qu'on était cachées près des casiers, car j'avais peur que quelqu'un voie ce qu'on faisait.

Elle a sorti de l'étui un genre de récipient en plastique transparent. C'était hyper flexible, mais je ne comprenais pas trop ce que c'était et elle m'a expliqué comment ça fonctionne. Il faut insérer la DivaCup à l'intérieur de soi. Quand le sang coule (yark!), il reste pris dans le récipient, qu'on doit vider au moins deux fois par jour. Bref, c'est encore plus dégueu qu'un tampon! Anna a dû se rendre compte que je la regardais bizarrement, car elle a soupiré et rangé son truc. Elle a conclu en disant que c'était beaucoup plus simple que je ne me l'imaginais et qu'en plus, c'est écolo.

ANNa : Je n'ai même plus à m'acheter de serviettes, alors on économise de l'argent! Et pas besoin de jeter quoi que ce soit à la poubelle. C'est vraiment génial, je te le dis.

Tu pourrais demander à ton père de t'en acheter une. Juste pour essayer...

Moi : Je ne sais pas... Ça ne m'inspire pas tellement. Me rentrer les doigts à l'intérieur... Et de toute façon, ça ne règle pas mon problème actuel. Qu'est-ce que je vais faire ? Je ne peux pas passer la journée comme ça !

ANNA : Va voir l'infirmière, alors. Elle doit avoir des serviettes dans son bureau, je suis sûre.

C'est ce que j'ai fait et, effectivement, elle a pu m'en donner une. J'avais hâte que la journée s'achève à la fois pour fermer les lumières de mon sapin, mais aussi pour aller me changer à la maison !

Là, je vais effectuer quelques recherches sur Internet pour voir comment ça fonctionne réellement, cette DivaCup. Même si je ne suis pas trop emballée, je suis quand même intriguée...

~ 17 h 12 ~

J'ai trouvé des sites sur les coupes menstruelles (c'est comme ça qu'on les appelle) et sur la façon de les utiliser. Comme ça m'intéressait de moins en moins, j'ai surfé sur Internet et je suis tombée sur un autre site qui montrait des serviettes hygiéniques LAVABLES ! Oui, oui, au lieu de les jeter à chaque utilisation, on les rince et on les lave. Elles sont fabriquées dans le même tissu que pour les couches lavables.

Il y a deux ans, quand on gardait les jumeaux, Colin et moi, ceux-ci n'étaient pas encore propres et portaient des couches lavables. Je trouvais que c'était vraiment beaucoup d'entretien, mais la mère de Mathis et Maxime nous a montré comment les mettre à ses bébés.

Donc, je crois que je pourrais m'en sortir… Je vais demander à papa s'il veut m'acheter ce genre de serviettes. Ça m'éviterait d'avoir à en racheter par la suite (économie d'argent, argument qui plaira sûrement à papa) et je pourrais en laisser dans mon casier tout le temps. Ainsi, je ne me trouverais plus prise au dépourvu comme aujourd'hui. Je vais en parler à papa tout de suite. De toute façon, il vient de m'appeler pour le souper, alors je vais en profiter.

~ 18 h 16 ~

Mes frères sont des crétins finis ! Dès que j'ai abordé le sujet des serviettes à table, ils se sont mis à chialer comme des bébés. Ils disaient que ça les écœurait de parler de ça durant le souper et que je leur avais coupé l'appétit. Ça m'a mise en colère parce que je suis la seule fille, ici, et que je ne peux JAMAIS parler de mes problèmes !

Papa était gêné, lui aussi, alors il m'a juste dit de lui montrer le lien Internet, et qu'il allait m'en commander après le repas. Donc, j'ai quand même eu ce que je voulais, même si ça a eu l'air de lever le cœur à tout le monde. Je m'en fiche. Ils n'ont qu'à ne pas écouter. Je ne vais pas m'empêcher de parler de mes règles juste pour épargner leurs oreilles sensibles !

Jeudi 11 décembre

~ 7 h 46 ~

Youppi! Première tempête de neige, aujourd'hui, et l'école est fermée! C'est pour ça que je peux t'écrire à cette heure. Ça tombe bien parce que je n'ai même pas entendu mon réveil, ce matin, et que je me suis réveillée en sursaut il y a à peine cinq minutes. Mon père n'est pas venu me voir, quand il a vu que toutes les écoles de la commission scolaire étaient fermées à cause de la tempête. Il a préféré me laisser dormir. Mais je suis arrivée en catastrophe dans la cuisine, où il sirotait tranquillement son café en écoutant les nouvelles à la télévision.

Il m'a lancé un regard calme et ce n'est qu'à ce moment que j'ai remarqué que Sébas était écrasé dans le salon, sans se presser le moins du monde. Papa m'a confirmé que je n'avais pas d'école!

Je crois que je vais appeler Colin pour lui demander s'il veut aller glisser sur la butte, dans le parc près de chez lui. Ça va être le *fun*! Et cette tempête, c'est parfait, parce que ça va remplir de

neige les pistes de ski juste avant notre arrivée ce week-end.

~ 17 h 26 ~

JE LE SAVAIS !

Colin a le *kick* sur Justine Lagacé ! Elle n'est même pas belle ! Bon, oui, elle est super belle. Et elle est sûrement gentille, en plus. Mais je la déteste malgré tout ! J'espère qu'elle n'est pas trop jalouse, parce que là, je ne le tolérerais pas !

Quand j'ai appelé Colin, il m'a invitée à déjeuner chez lui. Je m'y suis rendue rapidement et c'est là que j'ai su qu'il était resté à l'école, hier soir, pour faire une recherche à la bibliothèque. Il a croisé Justine dans le corridor et il s'est excusé de l'avoir accrochée à la cafétéria, l'autre jour. Pfff ! Je suis certaine qu'elle ne s'en souvenait même plus !

Elle aussi se rendait à la biblio, alors ils y sont allés ensemble. Ils ont jasé durant un moment et ils sont même repartis en même temps. Justine n'habite pas très loin de chez Colin et comme son père était venu la chercher, Colin a embarqué dans leur voiture lui aussi.

VOILÀ ! Je te parie ce que tu veux que, d'ici Noël, Colin aura une nouvelle blonde ! Je pensais qu'il était mieux célibataire, lui ! Il me disait, pas

plus tard que la semaine dernière, qu'il ne cherchait pas à sortir avec qui que ce soit. Ses résolutions ont pris le bord pas mal vite, je trouve !

Disons que ma journée débutait plutôt mal. Mais j'ai fait comme si de rien n'était et on est allés glisser tout de suite après le déjeuner. Ça m'a fait oublier cette histoire au moins durant un temps. J'ai dîné chez Colin et on a ensuite décidé d'aller faire un tour à l'aréna dans l'après-midi. Il fallait se déplacer dans le vent et le froid, mais la neige qui tombait ne nous a pas fait peur. C'était même super cool !

En revenant de l'aréna, Colin passait son temps à me pousser dans les bancs de neige. J'ai réussi à m'agripper à lui et il est tombé avec moi. Ça m'a donné des frissons, car il était sur moi et il riait. On s'est bagarrés quelques minutes, avant de se laisser choir côte à côte. On observait le ciel voilé et la neige tombait sur nos visages. J'ai ouvert la bouche pour avaler les flocons, mais je me suis rappelé juste à temps ce qu'Annabelle m'avait dit, quelques jours avant.

La neige est hyper polluée et il ne faut pas la manger ! On peut être malade ! J'ai alors décidé de tracer des anges dans la neige et Colin m'a imitée. On en a fait des dizaines avant de se tanner.

Quand on est arrivés chez lui, il était presque dix-sept heures.

Je me suis dépêchée de partir pour ne pas être en retard pour le souper. Mais en arrivant ici, j'ai compris que ça n'avait servi à rien. Papa n'a même pas commencé à préparer le repas. Je crois que je vais aller l'aider. J'ai trop faim !

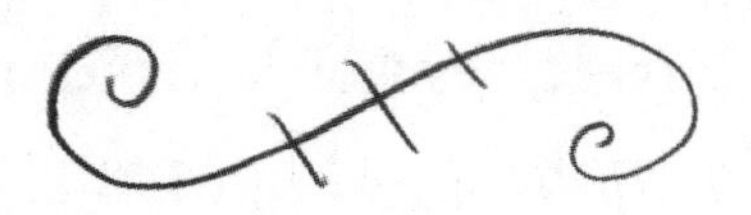

Samedi 13 décembre

~ 19 h 38 ~

Tu as remarqué la date ? Oui, on est un samedi 13… Une journée plus tôt, et ça tombait un VENDREDI ! Pas que je sois si superstitieuse que ça. Mais disons que, lorsque c'est bel et bien un vendredi 13, je fais un peu plus attention. Je ne passe pas sous une échelle et je regarde toujours de chaque côté avant de traverser la rue. Surtout, je croise les doigts pour ne JAMAIS devoir faire un examen durant cette journée !

Mais bon, je parle pour rien, car on est un samedi. Une chance, car j'aurais eu peur de me casser quelque chose sur les pistes de ski. Heureusement, tout s'est bien passé. Ce n'est d'ailleurs pas ce qui me chicote, en ce moment. Ce matin, avant le départ, j'ai eu la très bonne idée de t'emporter, cher journal. On s'est tous serrés dans la camionnette que papa a empruntée à un de ses amis et on est partis en direction de la station de ski.

Anto s'est assis à côté de papa, du côté passager. Sébas et Fred ont pris les places juste derrière

eux et Colin et moi, on s'est installés à l'arrière complètement. Je suis contente que papa ait accepté que mon ami vienne avec nous, car il a semblé beaucoup hésiter. Ce que je ne comprends pas, puisque ça fait des années qu'il nous accompagne.

Évidemment, Anto a chialé un peu, prétextant que, lui, il n'avait pas le droit d'emmener sa blonde. Mais ça n'a rien à voir : Colin n'est pas mon *chum* ! C'est mon meilleur ami, c'est tout ! Je croyais que la situation serait comme les années passées.

J'avais tort…

D'abord, on a déposé nos sacs dans les deux chambres communicantes que papa avait réservées. Ensuite, direction les pistes, sur lesquelles on a eu un plaisir fou, Colin et moi ! C'est à peine si on a fait une petite pause, durant l'après-midi, pour déguster un bon chocolat chaud à la guimauve.

Depuis deux ans, mon ami a commencé à faire du *snowboard* et il est rendu super bon ! Moi, je préfère encore mes bons vieux skis. Sauf que je devrais vraiment en avoir de nouveaux. Les miens ne sont plus assez longs. Peu importe, ça me permet quand même de mieux effectuer mes virages, quand je fais du sous-bois avec Colin. Papa n'aime pas trop ça, mais il n'a qu'à m'équiper convenablement et je resterai sur les pistes !

Je ne me suis d'ailleurs pas gênée pour le lui dire, lors du souper avec tout le monde :

Moi : Papa, mes skis sont trop petits pour moi. Il va m'en falloir des neufs.

MON PÈRE (légèrement exaspéré) : Dylane, l'argent, ça ne pousse pas dans les arbres. Je passe mon temps à te le répéter. Déjà que je vous paye à tous un week-end de ski, il va falloir que tu t'en accommodes.

Moi : Mais papa ! Comment veux-tu que je skie correctement ?!

MON PÈRE (complètement insensible) : L'an prochain, tu auras les skis de Sébastien. Ils devraient être de la bonne grandeur.

Moi : C'est parce que ce sont des skis de gars !!!

MON PÈRE (totalement inconscient de mon drame !) : Et alors ? Ils fonctionnent bien, oui ou non ?

Moi : Je suis tannée de n'avoir que des trucs de gars tout le temps ! Je suis une fille, tu sauras !!!

Mon père (absolument de mauvaise foi) : Ne t'inquiète pas, on le sait, ça ! C'est d'ailleurs la raison pour laquelle tu vas partager ta chambre avec un de tes frères... et non avec ton ami Colin.

VOILÀ OÙ JE VOULAIS EN VENIR ! Mon père a décidé que je ne pourrais pas dormir dans la même chambre que Colin ! Comme si on allait se sauter dessus dès que les lumières se fermeraient !!!

J'ai eu beau essayer de lui faire comprendre que Colin était seulement mon ami, il n'a rien voulu entendre. Je lui ai rappelé que nous avions déjà dormi dans la même chambre, auparavant, mais on aurait dit qu'il venait de saisir que je n'étais plus une petite fille et qu'il y avait potentiellement du danger à me laisser seule avec un garçon. Bon, même pas toute seule, en fin de compte, car, si on se partage les deux chambres, il y aura forcément une autre personne avec nous !

Mais papa a été intraitable. Là, Fred est allé lui parler pour lui faire entendre raison. Ce n'est

pas que je veuille a-bso-lu-ment dormir avec Colin ! C'est juste plus cool si on peut jaser avant de se coucher. Pour le moment, papa, Anto et Colin dorment d'un côté et Fred, Sébas et moi, de l'autre.

Oh, papa vient d'entrer dans la pièce. Je vais voir ce qu'il a à me dire…

~ 19 h 54 ~

C'est déjà mieux…

Papa a accepté que Colin dorme dans la même chambre que moi, mais lui aussi sera avec nous. Fred va aller avec Sébas et Anto. Donc, je partagerai mon lit avec papa, tandis que Colin dormira seul dans son lit. Mon père est allé prendre une douche et Colin est en train de rassembler ses choses pour venir me rejoindre de ce côté-ci.

Je te laisse, je vais profiter du fait que papa est sous la douche pour jaser avec mon ami.

Dimanche 14 décembre

~ 21 h 36 ~

De retour de ma fin de semaine de ski. Je suis à deux doigts de m'endormir... Mais avant, il fallait que je te parle d'une conversation que j'ai eue avec Colin, hier soir. Pendant que papa prenait sa douche, Colin s'est installé sur le lit à côté de moi et on a jasé durant un moment de tout et de rien. Puis, comme Fred n'était pas là et que Colin et moi étions seuls, j'ai eu envie de lui parler de l'homosexualité de mon frère.

Je ne sais pas pourquoi je voulais en discuter, car je n'en ai même pas parlé à Mira (qui est quand même la cousine de Fred et qui aurait le droit de le savoir en premier, il me semble) ni à Annabelle (qui est une fille assez ouverte d'esprit, je trouve, et à qui je pourrais facilement me confier). En tout cas, Colin m'a écoutée sans m'interrompre. Il a juste fait de gros yeux quand je lui ai dit pour Fred, puis il m'a laissée continuer. Je crois que j'en avais gros sur le cœur, car je n'ai pas fermé la bouche avant au moins vingt minutes !

C'est papa qui m'a interrompue, en sortant des toilettes. J'ai fait signe à Colin que nous pourrions en discuter le lendemain, et c'est ce que nous avons fait, à chaque fois que nous embarquions dans le remonte-pente. Mon ami m'a posé quelques questions, mais la plupart du temps c'est moi qui parlais. À la fin de la journée, ça m'a fait chaud au cœur de voir Fred et Colin discuter ensemble comme si de rien n'était. Ça m'a prouvé que j'avais bien fait de tout avouer à mon meilleur ami. Il ne juge pas mon frère et ne le voit pas différemment.

C'est un peu ce qui me faisait peur, au début. D'avoir l'impression que mon frère avait changé. Alors que c'est faux. Il est le même qu'avant. Grâce à Colin, j'ai mis le doigt sur ce qui me chicotait autant. Et maintenant que c'est bel et bien réglé dans ma tête, je vais pouvoir passer à autre chose. Bon, je ne sais pas si je vais en parler avec Mira ou avec Anna.

On verra…

Il n'y a rien qui presse, après tout.

Lundi 15 décembre

~ 7 h 03 ~

Dans dix jours, ce sera Noël… Et je n'ai même pas encore acheté de cadeau pour Colin ! Ni pour mon père… Ni pour aucun de mes frères ! *Cream puff!* Je suis affreusement en retard. Heureusement, jeudi soir, on retourne garder les jumeaux, Colin et moi. Je devrais donc avoir assez de sous pour faire quelques achats. Ce ne sera pas énorme, mais avec les économies que j'ai encore dans mon compte en banque, je devrais m'en sortir.

Mais il va falloir que je me prive du chocolat chaud à la guimauve que je prends au resto du coin. Je devrai me le préparer moi-même. Ça ne me dérange pas trop, car ma recette est excellente. C'est plutôt une question de paresse, quand je vais m'en chercher une tasse pour emporter.

Je te laisse, je dois me préparer pour l'école si je ne veux pas entendre papa crier après moi.

~ 16 h 54 ~

Je vais être en retard pour mon entraînement de tennis si je ne pars pas bientôt, mais je

voulais absolument te dire que… j'ai parlé avec Malik aujourd'hui ! Ça s'est fait super naturellement. Comme si on ne s'était jamais chicanés ! Vraiment étrange. Je te raconte tout à mon retour, ce soir.

~ 20 h 12 ~

Alors voilà… Je te parlais de Malik.

Ce matin, en arrivant aux casiers, Mira m'a demandé si je voulais dîner avec elle. Je trouvais ça un peu bizarre, car le lundi, normalement, elle mange avec son *chum* et ses amis à lui. Mais je ne me suis pas posé trop de questions, en concluant qu'Émile le débile était peut-être absent aujourd'hui.

Quand la cloche a sonné, donc, je suis allée rejoindre Mira à la cafétéria, à notre table habituelle, mais ma cousine n'était pas là. Je me suis quand même assise, toute seule, en attendant qu'elle arrive. Sauf que c'était de plus en plus long et je commençais à penser qu'elle m'avait oubliée. Au moment où j'allais me lever pour aller manger avec Colin, qui était assis pas trop loin, j'ai senti quelqu'un me taper l'épaule. C'était Mira, qui m'a fait signe de la suivre.

Elle s'est rendue jusqu'à la table d'Émile et de Malik. Là, j'ai hésité un peu. J'espérais qu'elle ne se moquait pas de moi, car, depuis plus d'un mois, ces deux-là me détestent, c'est assez évident. Mira s'est assise et m'a tirée par la manche pour que je prenne place à côté d'elle. Puis, elle s'est mise à papoter gaiement, COMME SI DE RIEN N'ÉTAIT !!!

J'ai croisé le regard de Malik, qui n'a rien dit, mais qui n'a pas pris son air fru habituel. Alors j'ai sorti mon sandwich et je commencé à le manger. C'était juste trop bizarre. À la fin du dîner, Émile a dit qu'il retournait jouer au soccer dans le gym et Malik a hésité quelques secondes. Il a fini par se lever à son tour, m'a jeté un regard, puis a lancé :

« C'était cool de te revoir, Dylane. À plus ! »

C'est tout ! Mira m'a donné un coup de coude et s'est mise à rigoler. Je ne comprenais plus rien, alors elle a fini par m'expliquer que Malik ne m'en voulait plus et qu'il aimerait ça qu'on redevienne tous amis. Émile n'était pas tellement chaud à l'idée (tiens, ça ne m'étonne pas du tout…), mais ma cousine a fini par le convaincre, quand elle est allée chez lui vendredi dernier.

À ce moment-là, je me suis rappelé qu'elle devait le voir ce week-end et qu'ils seraient seuls… J'ai voulu avoir des détails de sa soirée, mais elle m'a dit que c'était trop long à raconter, qu'on devrait se voir un soir cette semaine pour en discuter entre filles.

Donc, je suis redevenue amie avec Malik ! Je suis contente parce que je n'aime pas trop la chicane. Mais en même temps, j'espère qu'il ne pense pas qu'on va revenir ensemble, car je ne l'aime plus. Et je ne veux pas de *chum*, de toute façon.

Je vais appeler ma cousine pour savoir quand on peut se voir. Ça fait un bail que je ne suis pas allée chez elle ou qu'elle n'est pas venue chez moi. Mais juste avant, je vais aller arroser la base de mon sapin de Noël. (On n'est jamais trop prudent…)

~ 21 h 38 ~

Papa est venu m'avertir que je devais lâcher le téléphone ! Ce n'est pas ma faute si nous n'avons qu'une seule ligne ! Grrr…

Je parlais avec Mira. On a conclu que j'irais chez elle mercredi. Émile ne sera pas disponible (je suis un bouche-trou parfait) et, en plus, on pourrait même aller faire quelques boutiques en soirée, car les magasins sont ouverts tous les soirs jusqu'à vingt et une heures durant le mois de décembre. Je pourrai acheter les cadeaux pour mes frères et mon père. Pour celui de Colin, je préfère ne pas y aller avec Mira. Je serais un peu mal à l'aise. Après tout, c'est quand même son ex…

Mardi 16 décembre

~ 7 h 18 ~

Il ne reste que quatre jours d'école, en comptant aujourd'hui ! Ensuite, je pourrai enfin dormir plus longtemps le matin !!!

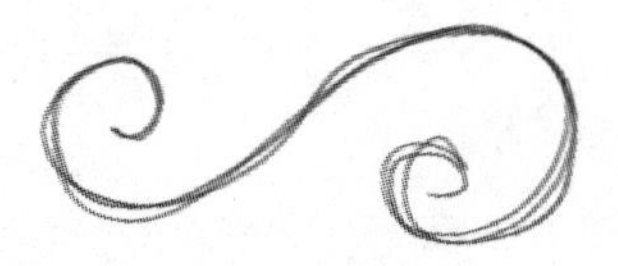

Mercredi 17 décembre

~ 7 h 20 ~

J'ai fait ma liste des cadeaux que j'allais essayer de trouver dans les boutiques pour Anto, Fred, Sébas et papa. Je vais l'apporter avec moi en partant pour l'école, car, en fin de journée, j'irai souper chez Mira !

Dans ma liste, il y a :

- ✔ un chèque-cadeau chez Vidéotron pour Anto (pour acheter des minutes pour son cell) ;
- ✔ un ou deux romans pour Fred (je ne sais pas lesquels, je vais fouiller à la librairie) ;
- ✔ des pantoufles chauffantes pour papa (j'ai vu ça à la télévision et elles ont l'air géniales ; même moi, j'aimerais en avoir...) ;

✓ des lunettes de ski pour Sébas (les siennes sont toutes grafignées et il arrive à peine à voir au travers) ;

✓ peut-être aussi un petit truc à maman, mais je ne sais pas si je vais la voir avant ou après Noël...

✓ et tant qu'à y être, un livre sur « Comment être sympathique pour les nuls » pour Florian !

Rien pour Harold, par contre (je n'ai pas assez de sous).

Avec tout ça, je vais être en retard si je ne me grouille pas un peu !

~ 7 h 47 ~

Qui est-ce qui est encore en retard… ? Bien sûr, nulle autre que Dylane ! J'entends papa crier dans la maison et me menacer de me confisquer mon journal intime si je continue à être aussi souvent en retard le matin… Il ne comprend vraiment rien à rien !

Juste au cas où il mettrait ses menaces à exécution, je vais te cacher sous mon matelas. On ne sait jamais…

~ 20 h 49 ~

Je viens de revenir à la maison et je t'ai retrouvé exactement là où je t'avais caché ! Ouf, quel soulagement ! J'ai vraiment eu peur durant une partie de la journée. Même ma séance de magasinage avec ma cousine a été entachée par cette horrible crainte.

Parlant de magasinage, je suis soulagée, j'ai maintenant terminé presque la moitié de mes achats, soit les cadeaux pour Anto (facile, j'ai pris le chèque-cadeau), pour Sébas (au premier magasin de sports qu'on a croisé) et pour papa (ses fameuses pantoufles… j'ai le goût de déballer la boîte pour pouvoir les essayer…).

Mais je n'ai pas eu le temps de jeter un coup d'œil dans une librairie pour le cadeau de Fred, ni pour le livre que je comptais acheter à Florian pour le faire enrager. De toute manière, il ne me restait plus d'argent sur moi. Avec les sous que je me ferai demain soir, je devrais être OK, car j'ai encore quelques économies à la banque, que je passerai chercher entre-temps.

Donc, si je fais le décompte, les personnes suivantes ont déjà leur cadeau : papa, Sébas, Anto.

Et il me reste à trouver des cadeaux pour celles-ci : maman, Fred, Florian, Colin.

Laisse-moi deux minutes pour cacher les cadeaux et je te reviens. Il faut a-bso-lu-ment que tu saches ce qui se passe dans la vie de Mirabelle !

~ 21 h 39 ~

Ça m'a pris du temps pour trouver LA bonne cachette, car il n'y a aucun endroit dans ma chambre qui soit réellement à l'abri des regards indiscrets. En plus, papa refuse qu'on ferme nos portes quand on s'en va. Il dit que ça permet l'aération de la pièce. Je suis d'accord en ce qui concerne les chambres de mes frères (ça pue les petits pieds, là-dedans !), mais dans la mienne, je trouve que ce n'est pas du tout nécessaire.

Papa est inflexible sur ce point. Il dit que ça fait aussi circuler la chaleur dans toute la maison. Donc, sous mon matelas, ça risque de devenir rapidement inconfortable… Dans mes tiroirs ? Papa vient parfois y ranger mon linge, quand je le laisse traîner un peu partout dans la maison. Même chose pour mon placard. Il ne me reste pas trente-six solutions ! Je n'ai pas eu le choix de mettre

les cadeaux en évidence sur mon bureau… Sauf que j'ai pris la peine de les emballer avant !

Mais pour ça, il a fallu que j'aille fouiller dans le sous-sol, à la recherche de papier d'emballage. Je n'avais pas pensé à en acheter aujourd'hui. J'ai finalement trouvé du vieux papier un peu fripé, ainsi que quelques choux. Puis, nouvelle recherche pour du papier collant. Comme il n'y en avait pas, j'ai dû prendre de la colle. J'espère juste que ça va tenir…

En tout cas, où est-ce que j'en étais, déjà ? Ah oui ! Mira !

Donc, au souper, on n'a pas pu discuter en privé, car ses parents étaient là. Sa mère est venue nous reconduire au centre d'achats vers dix-huit heures trente et enfin, elle a pu tout me dire !

Tout d'abord, je te remets en contexte : vendredi dernier, Émile le débile a invité ma cousine à passer la soirée chez lui à… se faire des minouches, disons. Ses parents étaient absents et Émile voulait sûrement aller un peu plus loin que d'habitude avec Mira. Sauf que ma cousine n'a jamais rien fait de bien sérieux avec un gars. À part peut-être son ancien-ancien-ancien *chum*, bien avant Colin. Un certain Miguel, que je n'ai même jamais rencontré. Lors d'une soirée chez celui-ci, où plusieurs

jeunes avaient été invités, ce dernier aurait attiré ma cousine dans sa chambre et il aurait commencé à l'embrasser. Puis, il aurait passé sa main SOUS son chandail…

Mira a aussitôt réagi en le repoussant et ils ont cassé le soir même, je crois. Faut dire qu'à l'époque elle avait à peine treize ans et pas de seins. Je ne sais pas ce qu'il espérait, en fait !

Sauf que les choses ont bien changé… Mira a maintenant une poitrine plus que raisonnable (elle en a facilement le double de moi, en tout cas !) et elle est prête à aller un peu plus loin avec son Émile. Bref, elle a décidé d'accepter son invitation. Une fois chez lui, ils sont descendus au sous-sol et ils ont mis un film. Ils se sont assis collés et devine quoi ? Émile n'a RIEN tenté !!! Rien du tout !!!

Mira n'a fait que penser à ça durant tout le film (si bien qu'elle ne l'a pas écouté du tout). Même quand il s'est terminé, Émile a juste osé une petite tentative de rapprochement en embrassant Mira sur les lèvres. D'après moi, Émile n'a jamais rien fait avec une fille, mais il est trop orgueilleux pour le dire. Chose certaine, Mira a été plutôt déçue. Tellement, en fait, qu'elle m'a dit qu'elle songeait sérieusement à remettre son couple en question. J'ai trouvé qu'elle était un peu vite sur la gâchette, mais ça ne lui a fait ni chaud ni froid.

C'est fou comme j'ai de la difficulté à la suivre, parfois, ma cousine… Un jour, Émile est l'homme de sa vie et le lendemain, parce qu'il n'a pas fait exactement ce qu'elle espérait, elle ne veut plus rien savoir de lui ! Chose certaine, si elle décide de casser, elle ne pourra pas compter sur moi pour le lui annoncer, comme elle a fait avec Colin ! Qu'elle ne me sorte pas l'excuse qu'Émile me déteste déjà !

~ 22 h 02 ~

Je me demande comment ça se passe, quand on fait l'amour…

~ 22 h 04 ~

J'imagine qu'il faut se caresser avant, puis faire rentrer… le machin du gars dans l'affaire de la fille…

~ 22 h 07 ~

Maman ne serait pas fière de moi. Elle a toujours détesté quand je n'utilisais pas les mots exacts pour parler de l'anatomie des filles et des garçons. OK, je recommence : j'imagine qu'il faut se caresser avant, puis faire rentrer le pénis du gars dans le vagin de la fille.

Cream puff! Ça me fait tout bizarre d'écrire ça ! Bon, je vais aller me coucher, avant de me créer des scénarios dans la tête !

~ 22 h 16 ~

Je n'arrête pas d'imaginer la scène dès que je ferme les yeux. En plus, c'est super gênant, parce que j'avoue que ça me donne des frissons dans le ventre… Comme si j'aimais ça.

Cette fois, je me couche pour vrai ! Faut que je pense à autre chose ! Comme quand je faisais un cauchemar et que je devais m'endormir quand même toute seule dans le noir !

Pense à une assiette de pâté chinois ! Pense à une assiette de pâté chinois ! Miam, c'est bon du pâté chinois !

~ 22 h 23 ~

Ça y est, j'ai faim, là ! Ce n'est pas mieux du tout, j'ai le ventre qui gargouille au lieu de me chatouiller ! Vivement demain, que je puisse me faire à déjeuner !

Jeudi 18 décembre

~ 21 h 31 ~

J'ai repensé aux images que je voyais dès que je fermais les yeux, hier soir, et ça m'a chicotée une partie de l'après-midi. De retour chez moi, après avoir gardé les jumeaux durant la soirée avec Colin, je suis allée voir la seule personne à qui je pouvais en parler sans faire rire de moi, c'est-à-dire Fred.

Heureusement, il semble enfin se remettre de sa peine d'amour, car il m'a accueillie dans sa chambre sans me mettre à la porte. Il était en train de préparer son curriculum vitae pour se trouver un emploi. Il a mis ses choses de côté pour m'écouter. Voici en gros ce que ça a donné :

Moi : Fred, faut que je te parle de quelque chose… de très gênant !

Fred : Je t'écoute.

Moi : D'abord, il faut que tu saches que JE NE SUIS PAS UNE OBSÉDÉE

SEXUELLE ! Et que tout ce que tu vas entendre ici DOIT rester ici. D'accord ?

Fred : **Oh boy!** C'est du sérieux, à ce que je vois. Bien sûr, Dylane, tu peux compter sur mon silence…

Moi : Bon, je me lance… Hier soir, avant de m'endormir, je pensais à… Je ne sais pas pourquoi je pensais à ça, d'ailleurs. Ça n'avait AUCUN lien avec moi. C'est plutôt à cause de Mira et de son **chum**. Qui ne sera plus son **chum** pour très longtemps, d'ailleurs, parce que justement, il n'y pense pas aussi souvent que Mira, finalement. Et en plus…

Fred : Dylane, je ne comprends rien. Rembobine, s'il te plaît, et réexplique-moi à quoi tu pensais hier soir, pour commencer…

Moi : Oui, j'y vendais, justement. Donc, comme je disais, je pensais à faire l'amour…

Fred : Tu pensais à faire l'amour ?

Moi : Oui, c'est ça, à faire l'amour.

Fred : Et… tu pensais faire ça avec qui ?

Moi : Personne en particulier.

Fred : Mais qu'est-ce que tu veux dire par « je pensais à faire l'amour » ?

Moi : Ben… je me demandais comment ça se faisait, et tout… Ce genre de détails, tu vois ?

Fred : Ah, là je saisis. Donc, tu aimerais que je t'explique ?

Moi : NON ! Pas du tout ! Ce que j'essaie de te dire, c'est que je pensais à ça, et là, j'ai commencé à avoir des genres de frissons dans le ventre. Comme si… comme si…

Fred : Comme si tu étais un peu excitée ?

Moi : FRED ! Comment tu peux me dire un truc pareil ?!

J'étais super frustrée qu'il me parle de cette manière et mes joues sont devenues rouge foncée. Mais Fred m'a souri gentiment, avant de m'expliquer que c'était tout à fait normal d'être dans cet état quand on se crée des images dans notre tête. Il a ajouté que les gars avaient une méthode très simple pour régler leur problème et ça s'appelle la masturbation. J'ai eu l'impression qu'il me prenait pour un bébé.

Non mais quoi ?! Je sais très bien ce qu'est la masturbation !

Alors il a ajouté que les filles aussi pouvaient le faire. J'ai tout de suite rétorqué que je n'étais pas une obsédée, mais il a éclaté de rire, ce qui m'a bien insultée, je dois l'avouer. Il s'est donc repris et il m'a dit que les filles qui se caressaient elles-mêmes n'étaient pas des « obsédées » pour autant. Que, si je le voulais, je pouvais très bien essayer.

Franchement ! Comme si j'avais envie de ça !

Je l'ai remercié de m'avoir accordé du temps et je me suis sauvée dans ma chambre, les joues toujours en feu. Je ne sais pas ce qui m'a pris d'aller lui poser des questions comme ça !

Pfff…
Il s'imagine des choses s'il pense que je…

~ 21 h 46 ~

Non mais… pfff…
N'importe quoi !

~ 21 h 59 ~

Je n'en reviens pas encore !

~ 22 h 24 ~

Demain, je vais essayer d'en jaser avec Anna… Voir ce qu'elle en pense, elle…

~ 22 h 47 ~

Cream puff…
Ridicule !

Vendredi 19 décembre

~ 16 h 02 ~

Je capote ! J'ai réussi à glisser un mot de ma conversation avec Fred à Annabelle, pendant qu'on était aux toilettes, et elle m'a dit qu'elle le faisait très souvent ! Je veux dire, qu'elle se masturbait plusieurs fois par semaine ! Anna est une obsédée !!

OMG !!!

Je ne la verrai plus JAMAIS de la même façon, désormais… Je n'arrive plus à écrire, tellement je n'en reviens pas.

~ 16 h 48 ~

Bon, ça va mieux, je crois…

D'un autre côté, elle n'a pas du tout l'air d'une obsédée, Anna. Ça voudrait donc dire que ce n'est pas parce qu'une fille se caresse que ça fait d'elle une perverse…

Je ne sais plus quoi penser. En même temps, je trouve que c'est sexiste d'admettre qu'un gars le fait sans que personne ne s'étonne, alors que, dès qu'une fille ne fait qu'y songer, elle est tout de suite cataloguée !

Bref, toute cette histoire m'a complètement fait oublier qu'aujourd'hui c'était le dernier jour d'école avant les vacances de Noël !!! Demain matin, je vais pouvoir dooooormir !!!

Je crois que je vais envoyer un courriel à Mira pour savoir ce qu'elle compte faire durant les deux prochaines semaines. On ne s'en est presque pas parlé, à cause de ses problèmes avec son *chum*. Ah, je ne t'ai pas raconté les derniers détails, hein ? Ma cousine a décidé de faire une pause. Elle l'a annoncé à Émile, hier, après les cours. Il était sous le choc et il n'arrête pas de l'appeler, depuis. Mais elle ne répond pas et elle a demandé à ses parents de lui dire qu'elle n'était pas là, si jamais il lui téléphonait.

Donc, j'ose espérer qu'on pourra se voir plus souvent dans les prochains jours… Je vais de ce pas m'en assurer !

À : BelleMirabelle@mail.com
De : Dydy2000@mail.com
Date : Vendredi 19 novembre, 16 h 57
Objet : Enfin les vacances !

Salut à toi, ma cousine préférée !

Je suis de très très bonne humeur et tu devines sûrement pourquoi... Bien sûr, il y a le fait que nous n'aurons pas d'école pendant presque deux semaines, mais aussi parce que... C'EST NOËL DANS CINQ JOURS !!! Sauf que je n'ai pas encore terminé mes achats. Je pense aller faire un tour dans les magasins demain matin. Ça te dirait de te joindre à moi de nouveau ?

Il me reste... quatre cadeaux à trouver ! Mais je t'avertis tout de suite, je vais en acheter un à Colin, alors si ça te dérange de venir avec moi, je le comprendrais. Je reste chez moi toute la soirée, si tu veux m'appeler...

Ciao !

Dylane

~ 17 h 23 ~

Oh, Mira m'a déjà répondu !

À : Dydy2000@mail.com
De : BelleMirabelle@mail.com
Date : Vendredi 19 décembre, 17 h 21
Objet : RE : Enfin les vacances !

Dylaninou !

Je vais devenir folle, avec tous les coups de fil d'Émile ! Ma mère m'a dit que si je ne réglais pas la situation, elle allait lui dire où j'étais et elle me passerait le téléphone ! Je ne peux pas rester chez moi, il faut que je parte d'ici, sinon je devrai lui parler.

Crois-tu que je pourrais venir chez toi tout de suite ? Même si c'est l'heure du souper ? Je prendrai seulement une beurrée au beurre d'arachides, si ton père ne veut pas que je soupe chez vous. Dis oui, dis oui, dis oui !!!

Mirabellou

PS : En passant, je ne peux pas venir avec toi faire les boutiques demain, mais j'espère que tu as tout de même pensé à moi, dans ta liste de cadeaux... Après tout, si tu en achètes un à Colin, je ne vois pas pourquoi je n'en aurais pas un, moi aussi !

XXX

Cream puff! Je n'avais pas prévu de lui en offrir un, à elle ... Ce n'est pas comme si j'étais riche et que je pouvais en acheter pour tout le monde !

Je n'ai pas le choix, je vais lui répondre tout de suite, sinon elle va se pointer ici sans ma permission. De toute manière, ça me tente de la voir, Mira. Justement, je pensais passer une soirée plate, alors qu'on va peut-être s'organiser une soirée typique de « filles » !

À : BelleMirabelle@mail.com
De : Dydy2000@mail.com
Date : Vendredi 19 novembre, 17 h 31
Objet : RE : RE : Enfin les vacances !

Bien sûr que tu peux venir souper chez moi !

À la condition que ça ne dérange pas ton régime de manger des steaks et des patates frites maison... Je sais, c'est gras et c'est plein de féculents, mais c'est aussi total MIAM !

Je vais aller confirmer avec papa que c'est OK, mais tu peux venir tout de suite. Je t'attends ! Oh, et ce qui serait cool, c'est que tu apportes ta trousse de maquillage. D'accord ? J'ai le goût que tu me donnes des trucs...

Re-**ciao** !

Dylane

PS : J'y pense, j'avais une question pas rapport à te poser. Toi, qu'est-ce que tu penses de ça, une fille qui se... ben... qui se touche, mettons ?

Je vais attendre sa réponse avant d'aller aviser papa. J'espère que Mira ne va pas croire que je parle de moi, quand je la questionne sur la masturbation. C'est zéro moi, la fille qui se touche ! Pfff... Voyons !

Bon, elle vient de répondre. Son message doit être court...

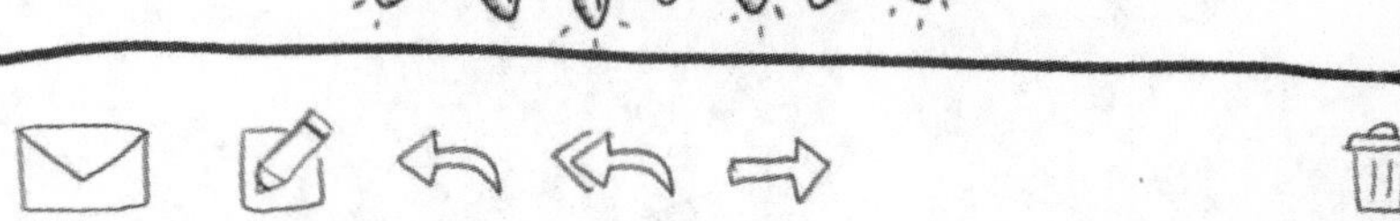

À : Dydy2000@mail.com
De : BelleMirabelle@mail.com
Date : Vendredi 19 décembre, 17 h 37
Objet : RE : RE : RE : Enfin les vacances !

Dylaninou !

Tu me sauves la vie ! J'arrive !!!

Et de quoi tu parles, avec ton histoire de se toucher ? T'es ben bizarre, aujourd'hui !

Mirabellou

XXX

C'est bien ce que je me disais, je fais mieux de ne pas jaser de ce qui me perturbe avec ma cousine. Elle risque de se faire des idées sur mon compte… Je vais aller voir papa, maintenant. Après tout, je ne sais même pas s'il va être d'accord avec la venue de Mira ! Et avant qu'elle n'arrive, je vais essayer de trouver le courrier sexo pour les ados qu'il y a toujours dans ma revue de filles… Au pire, je pourrais essayer de leur écrire un message. Eux, ils sauraient quoi me répondre, non ?

Courrier sexo pour les ados

Tu ne sais pas comment dire non à ton copain, qui veut aller plus loin ? Tu te demandes si les sensations que tu ressens sont normales ou non ? Ou tu veux simplement en savoir davantage sur les changements hormonaux que subit ton corps ? Pose-moi toutes les questions qui te viennent en tête à sexoados@mail.com. Cela me fera plaisir de t'éclairer !

UN GARS QUI PREND SON TEMPS

Q : J'aimerais faire l'amour avec mon *chum*, avec qui je suis depuis trois mois, mais il ne se sent pas encore prêt. Il est bizarre, non ?

R : Au contraire, autant les filles que les garçons ont le droit d'attendre le bon moment avant de se lancer dans l'aventure, tu sais. S'il ne se sent pas encore prêt, tu dois le respecter, tout comme tu aurais aimé qu'il te respecte, si c'était toi qui avais eu des réticences. Apprenez à vous connaître davantage. Trois mois, même si ça te paraît beaucoup, c'est très peu ! Ne le juge pas et écoute plutôt les raisons qui font qu'il préfère attendre. Il se sentira sûrement respecté par ton comportement et ne t'en aimera que plus !

LA MALADIE DU BAISER

Q : J'ai embrassé un gars que je ne connaissais pas, dans un party, et maintenant, ça me pique partout. Crois-tu que je pourrais avoir attrapé une MTS ?

R : Les maladies transmissibles sexuellement ne le sont que par contact direct entre les organes génitaux, ou encore lors d'un échange de sang (utiliser la seringue souillée de quelqu'un, toucher une blessure sur le corps de l'autre). Le fait d'embrasser quelqu'un ne devrait donc pas être dangereux. Par contre, tu n'es pas à l'abri de quelques virus… tels que les feux sauvages ou la mononucléose. Toutefois, tu fais bien de te questionner sur les MTS. Lorsque tu auras ton premier rapport sexuel, protège-toi en utilisant un condom. Ainsi, tu t'assures à la fois de ne pas devenir enceinte et de rester en santé. Car même si tu crois connaître ton partenaire, tu ne connais pas nécessairement tout son historique sexuel…

ADULTE… ET TOUJOURS VIERGE

Q : J'ai dix-huit ans et je n'ai jamais fait l'amour. Suis-je normal ?

R : Tout d'abord, il est important de cesser de se comparer aux autres. Lorsque le moment sera venu pour toi de faire l'amour avec quelqu'un qui t'aime et que tu aimes, ton âge importera peu. Aussi, sache que l'âge moyen du premier rapport sexuel est de dix-sept ans. Donc, tu n'es pas vraiment en « retard », puisque c'est une moyenne. Beaucoup de jeunes font l'amour à dix-huit, dix-neuf ou vingt ans ! Mais est-ce réellement ce qui compte ? Faire l'amour quand on se sent prêt, voilà le but à atteindre, et non le faire avant tout le monde…

UN ORGASME, SVP !

Q : Lorsque j'ai fait l'amour avec mon copain, je n'ai ressenti aucun plaisir (c'était ma première fois). Suis-je frigide ?

R : Bien des facteurs entrent en ligne de compte lorsque l'on veut ressentir du plaisir en faisant l'amour. Puisque c'était ta première fois, j'imagine que tu as eu quelques douleurs (ce qui est absolument normal, puisque tu étais encore vierge et que ton hymen n'était pas encore brisé). La douleur peut avoir éclipsé ton plaisir. Prends le temps d'en parler avec ton amoureux. Explique-lui comment tu te sens et n'hésite pas non plus à lui dire ce que tu aimes lorsqu'il te caresse. C'est de cette façon qu'il apprendra à te faire plaisir. Et vous ressortirez grandis de cette expérience, en tant que couple.

VRAI OU FAUX ?

Les garçons se masturbent beaucoup plus que les filles.

Vrai… et faux ! S'il est vrai que les garçons commencent à se masturber à l'adolescence, les filles ne sont pas en reste. Ces dernières apprennent à découvrir leur corps un peu plus tard. Ainsi, à l'âge adulte, le nombre de femmes et d'hommes qui se procurent ce genre de caresses devient presque équivalent. Les caresses que tu peux te donner te permettent de mieux connaître ton corps. Ainsi, tu seras plus à l'aise lorsque tu feras l'amour avec un garçon et tu sauras ce qui te fait vraiment plaisir. La masturbation est souvent un sujet tabou auprès des jeunes filles, mais sache que c'est tout à fait normal et que, même si c'est quelque chose de personnel, tu ne dois pas en avoir honte.

~ 17 h 46 ~

Wow ! Justement ce que je cherchais, ce vrai ou faux ! N'empêche… Je pense que je vais quand même leur écrire un message. Après tout, ils sont là pour répondre à nos questions. Et si je lis ce que les autres leur demandent (cette fille qui pense qu'elle a attrapé une MTS en embrassant son *chum* ! Pfff…), je ne devrais pas me sentir gênée de ne pas tout savoir !

~ 17 h 58 ~

Voici ce que je viens de leur écrire. En espérant que j'aurai une réponse rapidement…

À : sexoados@mail.com
De : Dydy2000@mail.com
Date : Vendredi 19 décembre, 17 h 54
Objet : Avoir envie de se…

Bonjour, cher Sexo ados,

Dernièrement, il m'est arrivé de songer à faire l'amour. Des images se sont gravées dans ma tête et, progressivement, j'ai commencé à être un peu excitée. Pas tout le temps ! Juste un peu...

Enfin, j'imagine que vous êtes habitué à lire ce genre de questions, mais la mienne est un peu spéciale. Je me demandais si le fait de se caresser, quand on est une fille, pouvait faire de nous... une obsédée ! Ce que je ne suis aucunement !!! Au contraire, je ne pense presque JAMAIS à ces choses.

Aidez-moi, svp, car je ne sais plus à qui en parler...

En attendant votre réponse avec impatience,

Dylane

Voilà... Message envoyé. Maintenant, je vais aller attendre ma cousine dans le salon. Elle ne devrait plus tarder.

~ 18 h 01 ~

JE CA-PO-TE !!!

J'ai signé le courriel que j'ai envoyé à Sexo ados avec mon vrai nom !!! Tu te rends compte ?!? Ça veut dire que si ma question est choisie, elle sera publiée sous mon nom !!! Et tout le monde va savoir que je suis une semi-obsédée !!! Et Mira qui est sur le bord d'arriver ! Je n'ai pas trente-six solutions ! Il faut que je leur réécrive pour leur demander d'oublier ma question !!!

OH NON !!! Ça sonne à la porte ! C'est sûrement Mira. Et je n'ai pas eu le temps de réécrire le moindre courriel ! *Cream puff* de *cream puff!* Ma vie est F.I.N.I.E. !!!

~ 23 h 42 ~

Mira est partie et je viens d'envoyer un second courriel à Sexo ados. En espérant qu'ils comprennent mon problème. Je leur ai demandé d'oublier ma première question, qu'elle n'était pas vraiment importante, après tout. J'espère qu'ils me répondront rapidement pour me dire que c'est OK. D'ici là, je sens que je vais me stresser au max. Mais bon, il est tard, tout ça m'a épuisée et je m'en vais me coucher…

Samedi 20 décembre

~ 12 h 31 ~

Cream puff! J'ai juste trop dormi, ce matin ! Je suis debout depuis seulement une demi-heure. Il me semble que papa ou mes frères auraient pu me réveiller ! Là, il faut que je me dépêche d'aller dans les magasins pour finir l'achat des cadeaux.

Je mange un sandwich express et je me dépêche de partir. Je te ferai un compte rendu à mon retour !

~ 17 h 16 ~

Ouf… Les magasins étaient tous bondés ! J'ai survécu de peine et de misère dans cette marée humaine. Non mais, qu'est-ce qui m'est passé par la tête d'aller magasiner un samedi 20 décembre !?!

Au moins, je rapporte les sacs contenant les cadeaux de tout le monde ! J'ai déniché tout ce qu'il me fallait et, en prime, j'ai même quelque chose pour Mira ! Une petite chaîne avec un cœur séparé en deux. Elle portera un demi-cœur et moi l'autre. Pour montrer qu'on est des meilleures amies !

Maintenant, je dois emballer mes achats. Ensuite, je téléphonerai à Colin, pour savoir quand on peut se voir. J'aimerais lui donner son cadeau avant Noël. On pourrait se faire une soirée «échange». À moins qu'il ne m'ait pas acheté de cadeau...? C'est possible. Mais ça m'étonnerait. Il m'en donne toujours un. En même temps, on ne s'est pas parlé de tout le mois de novembre...

Je vais quand même l'appeler, juste pour lui proposer de se voir. Parce que dès que les partys des Fêtes vont débuter, c'est à peine si on va pouvoir se parler. Mira, elle, je sais qu'elle doit partir pour plusieurs jours voir la famille de sa mère.

Sur ce, je te laisse, j'ai encore bien des trucs à préparer!

~ 21 h 10 ~

COLIN A EU SON CADEAU DE NOËL EN AVANCE!!!

Ses parents lui ont offert un bébé chien! Ça fait des mois qu'il en voulait un. En fait, je ne le savais pas vraiment, car je suis allergique aux chiens, moi, et Colin n'a pas pensé que ça pourrait m'intéresser. Ce qui est complètement idiot, parce que, même si je dois prendre des cachets avant de m'en approcher, je les adore malgré tout!

J'ai troooop hâte de voir la binette de celui de Colin ! Il m'a envoyé une photo par courriel, mais ce n'est pas pareil. C'est un schnauzer miniature blanc. Il ressemble à Milou, le chien de Tintin ! Tu vois le genre ?

Alors demain matin, on a prévu de se retrouver devant chez Colin pour aller promener le chiot ! J'espère qu'il n'aura pas trop froid. Il a du petit poil de bébé et ça ne doit pas être super pour se tenir au chaud, en plein hiver. Au pire, on raccourcira notre promenade.

Juste avant de rejoindre mon ami, je passerai par la pharmacie pour me procurer des médicaments contre les allergies. Je crois qu'il ne m'en reste plus chez moi. Attends un peu, je vais aller vérifier…

~ 21 h 23 ~

C'est bien ce que je craignais, je n'en ai plus. Papa dit que c'est une mauvaise idée que d'aller voir le chien de Colin, mais on sera DEHORS ! Et si jamais on rentre dans sa maison, j'aurai mes médicaments ! Il ne doit pas paniquer pour rien.

D'un autre côté, c'est le rôle des parents, de paniquer… S'il ne s'inquiétait pas pour moi, je finirais par croire qu'il se fiche de ma santé.

~ 21 h 46 ~

J'ai oublié de te dire comment Colin compte prénommer son chien… Il l'appellera Glaçon ! Parce qu'il l'a eu en hiver, qu'il fait froid, mais aussi parce qu'il est tout blanc !

~ 22 h 03 ~

Un glaçon, ce n'est pas blanc, mais plutôt transparent, tirant un peu sur le bleu. Sauf que c'est quand même une super bonne idée…

Dimanche 21 décembre

~ 9 h 26 ~

Je dois me dépêcher ! Colin m'a donné rendez-vous devant chez lui à dix heures pile, et je dois d'abord aller à la pharmacie. Si je ne m'étais pas couchée aussi tard, hier soir, aussi…

Moi qui pensais qu'avec les vacances je pourrais faire la grasse matinée tous les jours ! *Cream puff !*

~ 13 h 37 ~

Glaçon est juste trop génial ! Il est doux comme tout et léger comme une plume. Puisqu'il avait froid aux pattes, je l'ai pris dans mes bras durant presque toute la promenade. Il se collait contre moi et je trouvais qu'il faisait pitié, alors j'ai ouvert mon manteau et je l'ai caché à l'intérieur de celui-ci. Il me léchait le cou et sa petite langue était chaude. Ça me chatouillait. Colin riait et il a dit que j'avais le tour, avec les chiens. Que c'était dommage que je sois allergique.

J'aurais bien aimé avoir un animal chez moi, mais papa ne le permettrait jamais. Surtout que Fred aussi est allergique. Mais lui, il fait des crises d'asthme, alors c'est plus sérieux que moi. Dans mon cas, c'est surtout mes yeux qui gonflent et je n'arrive plus à voir comme il faut. Un peu comme Anna avec le maquillage.

À la fin de notre promenade, je suis rentrée chez Colin pour y déposer Glaçon. Ça me faisait de la peine de quitter cette boule de poils si attachante… En tout cas, Colin a promis de venir chez moi en soirée. On va procéder à notre échange de cadeaux. Finalement, il m'en a acheté un ! Bien hâte de voir de quoi il s'agit.

Je te laisse, j'entends papa me crier après. Qu'est-ce qu'il me veut, encore ?

~ 14 h 02 ~

Papa est fâché. Il dit que j'ai pris le chien de Colin dans mes bras. Je ne sais pas comment il a fait pour le deviner, alors j'ai tenté de jouer l'innocente, mais ça n'a pas fonctionné bien longtemps...

Papa (rouge de colère) : Dylane ! Tu as pris le chien dans tes bras !

Moi (innocente) : Hein ?! Pourquoi tu dis ça ? Qu'est-ce qui te fait croire que...

Papa (mauve de colère) : Enlève-moi ton air innocent sur ton visage !

Moi (toujours aussi innocente) : Je ne sais pas de quoi tu parles...

Papa (bleu de colère) : Il y a des poils partout sur ton manteau !

Moi (un peu moins innocente, finalement) : Ah, euh... Bon, peut-être que j'ai pris Glaçon quelques minutes. C'est parce qu'il gelait, dehors ! Tu voulais que je le laisse revenir avec les pattes toutes bleues ?!

Papa (de toutes les couleurs...) : Dylane, tu es ALLERGIQUE ! Ce n'est pas un jeu ! Et en plus, Fred peut faire une crise d'asthme, s'il revient à la maison et qu'il s'approche de ton manteau. Alors tu vas tout de suite aller le mettre dans la laveuse. Compris ?

Moi (coupable…) : D'accord… Mais ce n'est pas une raison pour être aussi fâché !

En plus, mes yeux me piquent. Je ne sais pas combien de temps durent ces fichues pilules, mais elles ne semblent pas assez fortes pour moi !

~ 15 h 48 ~

Je suis étendue sur mon lit, avec une serviette mouillée sur le visage, afin de faire dégonfler mes yeux. Et ça me pique tellement !!! Dire que je n'ai fait que prendre Glaçon dans mes bras durant quelques minutes. Bon, presque une heure, en fait. Il m'a aussi léché dans le cou, mais je ne croyais JAMAIS que ça aurait cet effet aussi immédiat sur moi.

Je pense que je vais passer mon tour, pour avoir un animal à la maison…

~ 17 h 42 ~

Papa est venu me porter mon souper dans ma chambre. Il doit trouver que je fais pitié, les yeux ainsi boursouflés. C'est vrai que je ne suis pas très belle à voir. Je n'ai pas faim. Je veux juste fermer les yeux et peut-être dormir un peu.

C'est plate…

~ 18 h 59 ~

J'ai dû m'endormir avec toi sur mon ventre, cher journal. La sonnette d'entrée m'a réveillée en sursaut. Mes yeux sont mieux. Mais ils me chauffent encore un peu. Je vais aller voir qui est là.

~ 22 h 03 ~

C'était Colin ! J'avais complètement oublié notre soirée « échange de cadeaux » avec ma crise d'allergie. Il est entré dans ma chambre de très bonne humeur, mais il s'est arrêté net quand il a vu mon visage. Oui, mes yeux avaient un peu dégonflé, mais ils n'étaient quand même pas dans leur état normal.

Colin s'est tout de suite excusé et il s'est senti mal, à cause de son chien, mais je l'ai rassuré. C'est ma faute. Après tout, c'est moi qui ai insisté pour prendre Glaçon dans mes bras, durant la promenade.

Mon ami est venu s'asseoir à mes côtés, sur mon lit, et il a passé la main sur mon visage, en grimaçant. Ça n'avait pas l'air joli, joli… Mais j'ai voulu qu'on parle d'autre chose, alors je suis allée chercher son cadeau et je l'ai déposé devant lui. Il a

pris le paquet avec le sourire et il l'a brassé près de son oreille pour essayer de deviner son contenu. Aucune chance qu'il le trouve! C'est une manette pour sa vieille Xbox. Je sais qu'il en voulait une, car la sienne arrête parfois sans préavis, mais il ne l'a pas mise sur sa liste de suggestions. En plus, il doit se dire que c'est trop cher pour que je lui en achète une. Il n'a pas tort, mais ce qu'il ne sait pas, c'est que la blonde d'Anto (pour combien de temps encore, ça, je l'ignore…) travaille chez Expert Électronique. Le magasin au centre d'achats. Alors elle a pu m'avoir un rabais!

Finalement, je lui ai donné le OK pour déballer son cadeau, ce que Colin a fait sans attendre. Et quand il a vu ce qu'il y avait dans la boîte, il m'a sauté dessus et m'a fait tomber à la renverse sur le lit. Puis, il m'a donné un gros bec sonore sur la joue. Quand il a relevé la tête, nos regards se sont croisés et il y a eu un petit moment de silence. Colin avait cessé de rire et moi, j'avais la gorge nouée.

Je suis prête à parier qu'il allait se pencher pour m'embrasser de nouveau, quand on a entendu mon frère Fred se mettre à éternuer dans le corridor. Colin s'est relevé en vitesse et Fred a justement cogné à ma porte, avant d'entrer. Il était plutôt mal en point, lui aussi, et il nous a marmonné:

Fred : La prochaine fois que tu viens ici, Colin, secoue ton manteau dehors avant d'entrer. Parce qu'il est plein de poils et ça me fait éternuer. OK ?

Colin : Ouais, ouais, pas de trouble. Désolé. Je ne savais pas…

Fred : C'est beau… Je vais aller faire un tour, ça va me faire du bien.

Colin m'a lancé un regard coupable et je me suis contentée de hausser les épaules. Puis, mon ami s'est penché et a ramassé le cadeau qu'il m'avait apporté. La boîte n'était pas très grosse, mais comme ça ne veut rien dire du tout, je me suis précipitée dessus pour l'ouvrir. Mais Colin a posé les mains sur les miennes, pour me dire que je devais d'abord essayer de deviner, moi aussi.

Rien ne me venait, alors, au bout de cinq minutes, Colin a eu pitié de moi et il m'a laissé arracher le papier. Ce que j'ai fait avec plaisir ! J'adoooore arracher le papier sur les cadeaux que je reçois. Je dirais que c'est mon moment préféré. Au fond, le cadeau, on s'en fiche un peu, non ? C'est

l'excitation qui compte. Et le summum, c'est juste avant de savoir ce que le paquet contient.

Bref, j'ai jeté les papiers dans tous les coins de ma chambre, ce qui a fait rire Colin, et j'ai enfin pu découvrir son cadeau… La boîte était faite sur le long et je l'ai ouverte lentement, m'attendant à un bijou ou à une montre. Mais non ! Il y avait deux billets dans la boîte… Des billets pour… LA COUPE ROGERS, AU MOIS D'AOÛT PROCHAIN !!!

C'est la compétition de tennis féminin qui a lieu à Montréal chaque année ! En plus, Colin n'a pas choisi n'importe quel match ! Non, il a pris des billets pour la grande finale !!!

Je CA-PO-TE !!!

Ces billets valent une fortune ! Je ne sais même pas comment il a fait pour trouver la somme nécessaire ! Il m'a dit qu'il a utilisé l'argent qu'il avait mis de côté pour acheter le cadeau qu'il destinait à sa blonde… Mais comme il n'a plus de blonde, il a pensé à m'offrir un plus gros cadeau ! On va pouvoir y aller ensemble, lui et moi !

Je pense que je te l'ai déjà dit, hein ?! JE CA-PO-TE !!!

Cette fois, c'est moi qui lui ai sauté dessus pour le remercier. Mais je me suis gardé une petite gêne et j'ai préféré ne pas l'embrasser. Je l'ai plutôt serré très fort dans mes bras et je lui ai dit au moins mille fois merci !

Il avait l'air fier de son coup. Ensuite, on est allés regarder la télé dans le salon et j'ai montré mes billets à mon père, qui était déjà au courant. Colin lui en avait parlé cette semaine. J'ai profité de la présence de mon ami pour appeler ma mère sur Skype. Elle était très contente pour moi. Pendant qu'on discutait, elle, Colin et moi, Florian est passé derrière l'écran et il nous a fait un petit coucou. Il m'a même souhaité un joyeux Noël et il a dit qu'on allait très bientôt se revoir. Ma mère a levé les yeux au ciel, car elle voulait me l'annoncer elle-même. Entre Noël et le jour de l'An, elle a prévu de venir passer plusieurs jours à Montréal. Et elle va venir avec Harold et Florian.

Je ne sais pas trop si c'est une bonne ou une mauvaise nouvelle… Évidemment, voir ma mère est TOUJOURS une bonne chose. C'est plutôt la présence de Florian qui me dérange. Parfois, il est capable d'être drôle et gentil, mais à d'autres moments, il est juste trop fendant. D'ailleurs, Colin semblait de mon avis, car il a changé d'air et il a froncé les sourcils. C'était la première fois qu'il voyait Florian autrement que sur photo, alors je me suis sentie obligée de les présenter.

Ça n'a pas été un succès, je dirais. Florian a eu un sourire ultra fendant et Colin a à peine desserré les dents pour le saluer à son tour. Florian a fini par s'en aller, non sans un dernier clin d'œil dans ma direction. Ma mère m'a soufflée un bec et elle a fermé sa session juste après. Colin a ensuite dit qu'il devait y aller et c'est à peine s'il a ouvert la bouche avant son départ.

~ 22 h 57 ~

Cher journal, crois-tu que Colin pourrait être jaloux de Florian ?

Non, hein… ? Pour ça, il faudrait qu'il ressente quelque chose pour moi. Et il m'a dit clairement qu'il ne m'aimait pas. Pas pour que je sois sa blonde, en tout cas. C'est donc bien compliqué, avoir un ami gars…

~ 23 h 16 ~

En plus, même s'il m'aimait, je lui dirais que je ne suis pas intéressée. Moi, un gars qui change d'idée toutes les deux minutes : non merci !

~ 23 h 31 ~

En même temps, Colin, ce n'est pas mon meilleur ami pour rien. On a des tas de choses en commun. Et… il n'y a que les fous qui ne changent pas d'idée, non ?

~ 23 h 45 ~

De toute façon, je ne pense vraaaaiment pas que Colin m'aime. Point final.

~ 23 h 57 ~

Et moi non plus, je ne l'aime plus depuis longtemps. Faut vivre dans le présent et le *kick* que j'ai eu sur lui fait partie du passé. Re-point final.

Lundi 22 décembre

~ 10 h 11 ~

Je suis hyper fatiguée… Je n'aurais peut-être pas dû me coucher aussi tard hier soir (encore). Et j'avais oublié de fermer correctement mon ordinateur. Alors dès que j'ai reçu un courriel, il a fait un biiiip qui m'a réveillée.

Je viens d'aller voir qui m'a écrit (je suis trop curieuse, je sais bien) et devine un peu qui est l'expéditeur ??? MALIK !

Cream puff! S'il y en a un dont je n'attendais pas de courriel, c'est bien lui ! Il voulait me souhaiter un bon temps des Fêtes et il en profitait pour me demander si j'avais des activités prévues… En plus, le titre de son courriel, c'était « Joyeux Noël ! », alors que ce n'est même pas encore Noël ! Attends, je vais recopier son message ici, au lieu de tout te résumer.

À : Dydy2000@mail.com
De : Malik_therocket@mail.com
Date : Lundi 22 décembre, 9 h 42
Objet : Joyeux Noël !

Salut,

Je voulais te souhaiter des belles vacances. Tu fais quoi, cette semaine ? Moi, j'ai congé de hockey. Je pense sortir un peu avec Émile, avant qu'il parte faire du ski dans les Laurentides.

Si jamais tu as le goût qu'on se voie, je suis disponible. J'ai rien de prévu. Il y a de bons films qui viennent de sortir au cinéma. Sinon, on pourrait aussi aller glisser ou patiner. Il y a une grande patinoire extérieure en face de chez moi. Ce sont les gens du quartier qui s'en occupent. Moi-même je l'ai arrosée quelques fois.

Donc, je vais attendre de tes nouvelles. Je te redonne mon numéro de téléphone, si jamais tu ne l'as plus. 555-4689

Bye !

Malik

Non mais, il me prend pour une amnésique, ou quoi ?! Je ne suis pas encore assez sénile pour oublier son numéro de téléphone ! Ça fait quand même juste deux mois qu'on a cassé ! Chose certaine, je ne pense pas l'appeler…

En même temps, je me sens un peu *cheap* de ne pas lui donner de nouvelles. Il a été plutôt gentil, dernièrement, et il a pris son courage à deux mains pour m'écrire… Mais je ne vois pas pourquoi on devrait se voir. Est-ce qu'il essaie de revenir avec moi ?

Il faudrait que j'en parle avec quelqu'un, mais Mirabelle est sûrement déjà partie dans sa famille. Et de toute façon, je sais très bien ce qu'elle dirait :

« Bien sûr que tu dois le rappeler ! C'était un super bon *chum*. Tu es chanceuse qu'il te laisse une seconde chance. Profites-en ! »

Mais elle ne comprend rien à rien. Je ne VEUX PAS avoir de *chum*. Je pourrais en discuter avec Colin, mais encore une fois, c'est assez évident de savoir ce qu'il en penserait :

« Pfff… Malik, ce n'est pas du tout un gars pour toi. Il est superficiel, et perso, je ne lui fais pas confiance. Surtout si on regarde avec qui il se tient… »

Là-dessus, il n'a pas tort. Le meilleur ami de Malik étant Émile le débile, disons que ça n'augure rien de bon…

Je pourrais aller voir Fred pour avoir son opinion, mais il est sorti aujourd'hui, tout comme Anto. Et aller jaser avec Sébas est hors de question ! Peut-être qu'Annabelle serait une bonne oreille…? Elle aurait sûrement un avis objectif, elle ! En plus, on pourrait passer du temps ensemble, après le dîner. Ça fait plus de trois jours que je ne l'ai pas vue et je m'ennuie d'elle.

C'est décidé, je me lève et je l'appelle.

~ 10 h 57 ~

Anna n'est pas chez elle. Alors comme je me sentais mal de ne pas répondre à Malik, je lui ai envoyé un courriel où je lui souhaitais un bon temps des Fêtes à lui aussi. Sauf que… Dès qu'il a reçu mon message, il a décidé de m'appeler. Oui, oui ! On vient de parler au téléphone, lui et moi.

Il voulait savoir ce que je faisais aujourd'hui et je ne savais pas quoi dire, alors il m'a demandé s'il pouvait venir faire un tour chez moi. Il a supposément quelque chose à me donner. Sûrement un truc que j'ai dû oublier chez lui, quand on sortait encore ensemble. En tout cas, c'est total bizarre

de savoir qu'il va venir ici… Il sera là bientôt. Faudrait que je m'habille, si je ne veux pas qu'il me surprenne en pyjama.

Je reviendrai te dire exactement ce qu'il me voulait une fois qu'il sera passé.

~ 11 h 59 ~

Malik vient de partir. Ouf, c'était étrange, ça…

Devine un peu ce qu'il voulait me donner : mon cadeau de Noël ! Il l'avait acheté à l'époque où on était encore ensemble (pourtant, ça fait DEUX MOIS !!!) et il ne savait plus trop quoi en faire, parce qu'il ne pouvait pas le rapporter au magasin. Je t'explique : en octobre dernier, il nous avait acheté des billets pour aller voir Martin Matte en spectacle. J'adoooooore Martin Matte. C'est un humoriste que je trouve trop drôle !

Malik aurait pu aller voir le spectacle avec quelqu'un d'autre. Mais puisque nous avons recommencé à nous parler cette semaine (ou en tout cas, disons que sa colère est retombée), il s'est dit que ce serait le *fun* d'y aller ensemble.

Lui et moi…

Seulement tous les deux…

Vraiment, mais vraiment bizarre…

~ 13 h 15 ~

Je SAVAIS que je n'aurais pas dû en parler avec Colin, mais c'était plus fort que moi. Il fallait que je le raconte à quelqu'un et Colin, en plus d'être mon meilleur ami, était aussi le seul à être chez lui.

Bref, il a pété sa coche ! Il m'a presque crié dessus, au téléphone, en me disant que Malik n'était pas un gars pour moi et que je devrais refuser son cadeau. Trop tard, j'ai déjà dit oui. Alors Colin a dit que je pouvais me décommander, sauf que ce n'est pas mon genre ! (OK, la vraie raison, c'est que j'ai le goût d'y aller, moi, voir Martin Matte…) Après sa crise, il a fini par dire qu'il s'en lavait les mains et que c'était mon problème, après tout, qu'il avait d'autres choses à faire, de toute façon, que d'essayer de me faire entendre raison. Et il m'a presque raccroché au nez.

Colin, il se mêle vraiment de ce qui ne le regarde pas. Et il commence à être pas mal trop colérique, je trouve. Moi, je ne pogne pas les nerfs quand il me parle de Justine Lagacé. En fait, il ne me dit rien du tout, d'ailleurs ! Et je n'en fais pas un drame. Je le SAIS, qu'ils se sont revus quelques fois, et pourtant, je n'ai RIEN dit, moi ! RIEN !!

Alors qu'il aille se faire voir ailleurs. Et qu'il mange de la bouette ! J'en ai assez, de me faire crier dessus. Peu importe que ça le rende fru ou non, je vais y aller, moi, au spectacle de Martin Matte avec Malik ! Que Colin en revienne ! Je peux être amie avec qui je veux !

Point à la ligne !!!

~ 15 h 42 ~

Ce n'est pas comme si Malik voulait redevenir mon *chum* ! Sinon, il m'en aurait parlé quand il est venu ce matin. Ou en tout cas, je m'en serais rendu compte dans ses gestes.

~ 15 h 57 ~

Je ne sais pas ce que je donnerais pour jaser de tous mes problèmes avec Anna ou avec Mira. Pourquoi personne n'est là quand on en a besoin ? En plus, je n'ai absolument rien à faire, aujourd'hui, à part niaiser sur Facebook ! C'est juste trop plate, les vacances de Noël !!

~ 16 h 34 ~

Ah, tiens… Florian vient de me demander d'être son amie sur Facebook… Allons voir un peu son profil…

~ 16 h 49 ~

Il a partagé des tas de vidéos de cascades sur son mur. Et il est ami avec quasiment mille personnes ! Moi, je fais dur, avec mes cinquante amis seulement. Il va falloir que je m'en fasse d'autres… Je pourrais commencer par accepter tous ceux qui m'ont fait des demandes d'amitié dans mon club de tennis. C'est parce que je n'aime pas ça, en fait, être amie avec trop de monde. En plus, je ne publie presque rien sur mon mur, et je me dis que je suis une amie plate…

Mira, elle, est à mon école depuis seulement quatre mois et elle s'est fait au moins trois cents amis déjà. Il faut dire qu'elle accepte n'importe qui, même si elle ne connaît pas la personne. Moi, je m'assure que je sais de qui il s'agit, et encore là, si on ne s'est jamais adressé la parole, je refuse. C'est Anto qui m'a dit de faire ça quand il m'a aidée à créer mon profil, il y a deux ans. Il a dit que je ne devais pas être amie avec tout le monde. Sinon, n'importe qui peut apprendre des tas d'infos sur moi et ça peut devenir gênant. Surtout si quelqu'un met une photo de moi où j'ai l'air d'une folle, disons.

Et il y a aussi tout l'aspect « harcèlement sur Internet ». C'est papa qui m'en a glissé un mot, quand j'ai commencé le secondaire. Il m'a dit que c'était quelque chose qui pouvait m'arriver et que le plus simple, c'était encore de ne pas parler à n'importe qui sur le Net. Il m'a tellement traumatisée avec des histoires de filles qui croyaient discuter avec des beaux inconnus qui leur faisaient du charme, alors qu'en fait c'étaient des gros dégueus qui voulaient juste profiter d'elles… Il existe tellement d'histoires tordues que je me suis promis de ne jamais me laisser avoir !

Sauf qu'en bout de ligne j'ai seulement cinquante amis, moi… Un de plus avec Florian, mettons. Ah ! Il vient de m'écrire un message ! Je vais aller le lire tout de suite !

~ 17 h 53 ~

Florian voulait me dire que son père, ma mère et lui arrivent à Montréal le 26 décembre. Il voulait savoir si j'allais pouvoir lui faire visiter la ville. Je lui ai dit que je n'avais pas de problème avec ça. En plus, Mira sera de retour chez elle et je pourrai lui présenter ma cousine. À moins que Colin veuille venir avec nous… Parce que si Mirabelle se joint à nous, il va sûrement décliner l'invitation, comme je le connais.

Pendant que je réfléchissais, Florian en a profité pour m'appeler sur Skype. C'est plus facile de discuter en se voyant. Je lui ai alors parlé de Colin et du fait que je n'étais pas certaine qu'il veuille venir faire le tour de la ville. Florian a aussitôt répliqué ceci :

Florian : **It's normal** qu'il veuille pas.

Moi : Pourquoi tu dis ça ?

Florian : **Well,** ton **best friend**, il est amoureux de toi.

Moi : Hein ?!? Pfff... Ben non !

Florian : T'es aveugle. **Open your eyes, baby!**

Moi : Arrête de m'appeler « **baby** » !

Florian : **Anyway**, je suis raison. **I'm sure**.

Moi : Ça ne se dit pas : « je suis raison ». On dit : « j'ai raison ». Mais toi, tu peux pas dire ça de toute façon, parce que tu n'as pas raison du tout !

Florian m'a regardée d'un drôle d'air, avant de soupirer et de lever les yeux au ciel. Après, il est parti dans un discours sur le fait que Colin était jaloux de lui, parce qu'il était beau (sérieux, Florian se prend vraiment pour un autre !) et qu'il n'aimait pas me voir avec un autre gars. Il parlait à moitié français, moitié anglais, alors je ne captais pas vraiment tout ce qu'il disait, mais je suis pas mal certaine qu'il est dans le champ.

Bon, c'est vrai que Colin a été plutôt bête quand je lui ai parlé de Malik, aujourd'hui. Sans aucune raison valable ! Alors, plus Florian radotait, plus mon cœur commençait à battre vite. Et s'il avait raison, après tout…? Si Colin ressentait plus que de la simple amitié pour moi…?

Qu'est-ce que je ferais ?

OMG ! Qu'est-ce que je vais faire ?!?

Mardi 23 décembre

~ 9 h 26 ~

J'ai décidé de dresser une liste de tous les éléments compromettants pour Colin. C'est-à-dire qu'à chaque fois qu'il va agir bizarrement avec moi, je vais le noter sur ma liste. Par exemple, quand il a fait sa crise parce que Malik m'a donné des billets de spectacle pour Martin Matte. Voici déjà ce que j'ai noté, sur cette fameuse liste :

- ✔ Crise de Colin pour les billets de spectacle.

- ✔ Sa réaction quand il a déballé mon cadeau de Noël. (Il m'a embrassée sur la joue et après, on s'est regardés pendant quelques secondes… Je suis certaine qu'il m'aurait embrassée si Fred n'avait pas éternué dans le couloir !)

- ✔ Colin a toujours l'air fru quand je parle de Florian (et il l'a à peine

salué quand ils se sont vus sur Skype, l'autre jour).

✓ Il m'a acheté un cadeau de Noël troooooop cool !

✓ On s'est embrassés au party de danse d'Halloween (même si, après, Colin a prétendu que c'était une erreur de sa part...).

Bon, ce n'est pas une liste très très longue… Et elle ne veut pas dire grand-chose pour le moment, mais je sens que ça va m'aider à y voir plus clair. D'ailleurs, je pense que je vais aller le voir aujourd'hui pour vérifier s'il est encore fâché contre moi. Après tout, on ne s'est même pas reparlé, hier, après sa crise.

~ 15 h 33 ~

Colin a un souper de famille, ce soir, et on n'a pas pu se voir très longtemps. De toute manière, avec son chien dans la maison, je me mets à éternuer dès que je pose le pied chez lui et mes yeux me démangent. Je commence à croire que je ne pourrai plus jamais aller dans sa maison, à cause de Glaçon…

En plus, Colin était encore de mauvaise humeur. Il m'a fait une remarque sur les « amis » que j'acceptais sur ma page Facebook. Je n'ai pas compris tout de suite ce qu'il voulait dire, alors il a soupiré et il m'a dit que, puisqu'il est mon ami, dès que je m'en fais un nouveau, il le sait immédiatement. Il y a tellement de fonctions que je ne comprends pas, sur Facebook, que j'ai souvent l'air d'une débutante.

Bref, Colin a tout de suite vu que j'étais devenue amie avec Florian. Je lui ai dit que c'est mon demi-demi-frère qui voulait me parler, parce qu'il veut que je lui fasse visiter la ville quand il arrivera. Et Colin m'a surprise. Il a dit que même si Mira était là, il viendrait avec nous. Maintenant, il reste encore ma cousine à convaincre…

En plus, ses histoires d'amour sont si compliquées, à elle. J'ai hâte de savoir si oui ou non elle sort toujours avec Émile le débile, après leur *break*. Sans le faire exprès, j'ai dit le surnom que je donne au *chum* de ma cousine à Colin et celui-ci a aussitôt éclaté de rire. Ensuite, il a arrêté d'être de mauvaise humeur et on est allés construire des forts dans la neige, devant sa maison. Mais ses parents ont fini par l'appeler pour qu'il se prépare pour son souper dans sa famille.

De mon côté, c'est plutôt calme ce soir. Mes grands-parents ne viennent que demain passer le réveillon chez nous et Anto devrait inviter sa blonde. Sébas m'a achalée pour que je demande à Annabelle de se joindre à nous, mais je sais déjà qu'elle ne pourra pas venir. Elle aussi a un souper, mais avec ses grands-parents paternels. Donc, ça devrait être assez tranquille à la maison. Le 25, par contre, on doit aller dans la famille de papa. Mira et moi, on va donc pouvoir se voir, puisque nos pères sont frères.

Je vais appeler maman, ce soir, pour lui parler un peu. Je m'ennuie d'elle et je ne la verrai pas avant vendredi. C'est plate pour papa, je trouve, qu'elle se soit fait un amoureux. Ce sera son premier Noël en tant que célibataire… Je ne sais pas comment il le prend. Il est assez secret sur ses sentiments, papa. Sauf quand il est en colère. Alors là, il n'est pas secret du tout !

Je pourrais l'aider à préparer le souper… Ça lui ferait plaisir, je crois. Oui, c'est ce que je vais faire. J'aimerais ça, manger de la fondue. Je trouve que c'est un repas parfait pour les Fêtes, la fondue. C'est sûr qu'avec tous mes frères, on est toujours coincés autour du bol, mais depuis quelques années, on en prépare deux. C'est plus simple.

Je vais aller voir si on a tous les ingrédients.

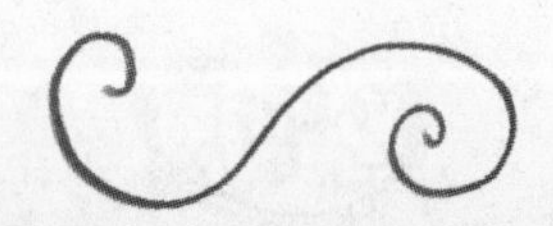

Mercredi 24 décembre

~ 8 h 36 ~

DEMAIN, C'EST NOËL ! DEMAIN, C'EST NOËL !

Je suis incapable de dormir, ce matin ! Beaucoup trop énervée par Noël, qui est demain !!!

Et ce soir, on déballe nos cadeaux en famille !

J'ai hâte de voir ce que mon père va me donner. Et mes frères. À moins qu'ils aient décidé de ne rien m'offrir… Ce n'est pas le genre de Fred ni d'Anto, qui m'achètent toujours un petit quelque chose. Mais Sébas pourrait très bien m'avoir oubliée. D'un autre côté, ce serait un moindre mal, si je me fie à ce qu'il m'a offert l'an dernier… Je te rafraîchis la mémoire : des coupons «passés date» pour acheter de la sloche ! Ben oui ! En plein hiver !! Comme si ça allait me servir…

En plus, il a osé m'obstiner pendant presque une heure comme quoi les coupons allaient encore être bons l'été suivant, quand la saison de la sloche recommencerait. Ont-ils été bons, finalement, ces fameux coupons ? Je te laisse deviner…

ABSOLUMENT PAS ! Le caissier a même ri de moi, quand j'ai osé les lui présenter. J'ai eu l'air d'une idiote et tout cela, par la faute de Sébas ! Et JAMAIS il ne s'est excusé ! Il a juste marmonné, quand je suis revenue à la maison (SANS AUCUNE SLOCHE !!!), que je devais cesser de vivre dans le passé et que Noël était fini depuis plus de six mois !

Alors Sébas et ses cadeaux… non merci !

Cela dit, papa nous oblige à faire le ménage complet de la maison aujourd'hui. Je trouve ça nul, parce qu'on reçoit seulement la blonde d'Anto, et ce n'est pas comme si elle n'avait jamais vu la maison en désordre. Mais papa ne veut rien savoir. On doit passer l'aspirateur, laver les plancher, épousseter, ranger nos chambres et secouer les coussins du salon. Je suis déjà essoufflée… Surtout qu'après avoir fait tout ça, il va encore falloir se taper la préparation du buffet du réveillon.

Ce que je ne comprends pas à propos de ce buffet, d'ailleurs, c'est pourquoi il faut absolument en faire un ? On ne sera que six personnes durant la soirée. A-t-on réellement besoin de préparer de la bouffe pour cinquante ? Et je n'ai jamais faim à minuit, moi ! Alors il en reste toujours des tonnes et je dois me taper les petits sandwichs pas de croûte durant une semaine ! Pis un sandwich pas de croûte qui a plus de deux jours, c'est sec et dégueu !

En tout cas, je vais aller prendre un solide petit déjeuner avant de m'y mettre si je veux avoir assez d'énergie pour passer à travers ma journée.

~ 14 h 27 ~

Colin vient de m'appeler pour me souhaiter un bon réveillon ce soir. Est-ce que je devrais ajouter cette info à ma liste…? Après tout, ça pourrait très bien être parce qu'on est amis qu'il agit ainsi, et non parce qu'il pense constamment à moi... Dur de me brancher. Je crois que je vais le mettre, juste au cas où.

~ 15 h 02 ~

Au tour de Malik de me téléphoner. Lui aussi, je commence à trouver son comportement un peu louche. Il n'est pas question de sortir de nouveau avec lui. Il va falloir que je le lui dise, s'il continue d'agir de la sorte. Je crois que je vais dresser une liste pour lui aussi. Pour commencer, voici les éléments que je vais y écrire :

✓ Malik m'a donné un cadeau de Noël (billets pour Martin Matte) et il veut y aller avec moi au lieu de les offrir à quelqu'un d'autre.

✓ Il vient de m'appeler pour me souhaiter un joyeux Noël.

Ce n'est pas énorme non plus, mais je dois rester à l'affût… Pas facile d'être aussi en demande.

~ 16 h 39 ~

Penses-tu que je me fais des idées, cher journal ? C'est parce que tout à l'heure, maman nous a appelés sur Skype pour nous souhaiter un bon réveillon, à mes frères et à moi. Florian est venu la rejoindre et il m'a souhaité un joyeux Noël. Juste à moi… Oui, c'est vrai qu'il ne connaît pas encore mes frères, mais quand même. C'est bizarre, non ? À moins que ce soit moi qui voie des admirateurs partout.

Après tout, ce n'est pas comme si j'étais un top model devant lequel tous les garçons se pâment… Disons que je cède plutôt ce rôle à Mirabelle.

Mais ça ne règle pas mon problème : dois-je faire une troisième liste, pour Florian cette fois ? Non… je vais laisser les choses aller et on verra bien. Peut-être que c'est typique des Britanniques d'agir ainsi.

~ 19 h 48 ~

Cream puff… Je viens t'écrire en secret, cher journal, parce que tu ne le croiras jamais… Fred a invité un gars ! Sûrement son *chum* ! Tout le monde a fait comme si de rien n'était. Sauf moi, qui ai failli m'étouffer avec ma salive. Je me suis sauvée vers les toilettes pour reprendre mon souffle, puis je suis venue directement dans ma chambre pour tout te dire.

Il semble plutôt gentil. Je n'ai pas eu le temps d'entendre comment il s'appelle, car je toussais sans arrêt. Je vais de ce pas m'informer. Je reviens…

~ 20 h 13 ~

Fred dit qu'il ne sort pas avec lui. C'est seulement un ami. Jacob, qu'il s'appelle. Je le trouve drôle. Même s'il sortait avec Fred, ça ne me dérangerait pas. Mais Jacob… ça me rappelle quelque chose. Il me semble que j'ai déjà entendu ce nom-là…

~ 20 h 56 ~

Anto dit que c'est clair que c'est le *chum* de Fred, mais que celui-ci ne veut pas l'annoncer. Après tout, qui invite seulement un ami le soir du réveillon de Noël ? Il a un peu raison. Ça me fait penser que Colin ne m'a pas invitée du tout à réveillonner chez lui. Ce qui signifierait qu'il ne me voit pas du tout comme sa blonde… Je vais le noter dans sa liste.

Ah ! Et je me rappelle pourquoi le prénom de Jacob me disait quelque chose : c'est parce que c'est le nom du gars qui a *flushé* Fred il y a quelques semaines !!! Donc, Jacob est l'EX de Fred. Celui qui l'a tant fait pleurer et qui l'a rendu hyper malheureux !

Je sens que je l'aime un peu moins, ce Jacob…

~ 22 h 47 ~

C'est le temps des cadeaux !!! Je suis venue chercher les miens pour les offrir à mes frères et à mon père. Je viendrai te dire ce que j'ai reçu plus tard. Ou demain matin, si je suis trop fatiguée pour écrire ce soir.

Vendredi 24 décembre

~ 10 h 29 ~

Je n'ai pas eu le temps du tout de t'écrire hier. Journée plutôt étourdissante, disons… Il a fallu ranger toute la maison à cause du réveillon de la veille. Même si nous n'étions que six personnes, c'était le bordel. Ensuite, on a été obligés de manger des sandwichs pas de croûte. Puis, il a fallu partir assez tôt pour aller dans la famille de papa, qui habite à la campagne. Comme le temps n'était pas génial (il neigeait vraiment fort), c'était glissant sur les routes et papa voulait prendre son temps.

On était tous coincés dans la voiture (comme toujours). J'avais chaud et mal à la tête, à cause de la soirée du 24 décembre où je m'étais couchée trop tard, je crois. Rendue là-bas, j'ai retrouvé Mira qui était déjà arrivée, alors on a pu jaser.

C'est maintenant officiel : elle ne sort plus avec son Émile le débile ! Je suis contente pour elle et je n'ai pas pu m'empêcher de le lui dire. Elle ne m'écoutait pas tellement, donc elle n'a pas réagi. Elle était trop occupée à vouloir me raconter le pourquoi du comment elle l'avait laissé. Je m'en fiche un peu, au fond. L'important, c'est qu'il ne soit plus dans le décor !

Mira a aussi dit (mais ça, je le prends avec un grain de sel) qu'elle ne voulait plus de *chum* pour un petit bout. Elle pense qu'elle a besoin de se retrouver toute seule. Pour apprendre ce qu'elle veut réellement dans la vie. Et aussi parce qu'elle commence à trouver que les gars sont un peu idiots. Ma cousine se pense beaucoup plus mature qu'eux et elle a l'intention de passer plus de temps avec les gens qui comptent réellement pour elle (comme moi !).

Mais ça ne l'a pas empêchée de parler d'Émile durant touuuuuute la journée... PÉ-NI-BLE ! Et quand j'ai osé lui en faire la remarque, elle s'en est offusquée et a boudé dans son coin pendant presque tout le souper. Une chance qu'après quelqu'un a mis de la musique et les adultes ont sorti des jeux de cartes (j'aime bien jouer aux cartes en famille). On a bien ri et Mira a fini par venir se joindre à nous.

Grand-maman Madeleine, qui respecte pourtant TOUJOURS l'étiquette, a même pris un verre ou deux de trop et elle s'est mise à chanter. Elle disait que, dans son jeune temps, elle avait donné quelques spectacles. J'en doute un peu, si je me fie à sa voix actuelle. Ce n'est pas qu'elle fausse vraiment. Seulement, elle a une voix aiguë plutôt désagréable. Mes frères rigolaient dans leur coin et Mira m'a fait un clin d'œil en apercevant notre grand-mère.

Bref, on s'est quand même bien amusés…

Ce qui fait que je n'ai pas pu te dire ce que j'ai reçu en cadeau de mon père et mes frères !

Alors voici :

- Papa et Anto m'ont acheté un cellulaire !!! Ils l'ont pris à la boutique où travaille la blonde d'Anto. Alors je l'ai aussi remerciée, car c'est un peu grâce à elle qu'ils ont pu avoir un bon prix !!! Je suis troooop heureuse ! Je vais enfin pouvoir texter mes amis et les appeler sans avoir à vérifier si le téléphone de la maison est déjà utilisé ou non ! Je CAPOTE !!!

- Fred m'a donné un chèque-cadeau échangeable à la boutique de sports de mon centre d'entraînement. On y trouve de tout, autant des vêtements que des raquettes de tennis. J'ai hâte d'aller y faire un tour !

- Et finalement, Sébas, lui... m'a acheté un étui pour mettre mon cell. Bon, en fait, il a trouvé un vieil étui usagé je ne sais pas où, mais il est encore en bon état. C'est ce qui compte, non ?

Je vais d'ailleurs tout de suite envoyer un texto à Mira pour lui demander si elle vient toujours avec nous accueillir ma mère à l'aéroport. Papa doit aller la chercher (même s'ils ne sont plus ensemble) et il reste une place, car mes frères ne peuvent pas venir. Anto travaille et Fred et Sébas ont quelque chose de prévu. Mon père a emprunté la camionnette de son ami (la même que l'on prend quand on va skier) afin que tous les bagages puissent rentrer.

Papa a accepté que ma cousine vienne avec moi à l'aéroport. Ça va changer les idées de Mira. Je trouve qu'elle a la déprime facile, depuis sa rupture. Elle a beau dire qu'elle est contente d'être célibataire... je ne la crois qu'à moitié.

Je reviendrai plus tard, cher journal, pour te donner TON cadeau de Noël. Oui, oui ! J'ai une surprise pour toi, comme promis !

~ 11 h 16 ~

Mira s'en vient dîner chez moi. Ainsi, ce sera plus facile de partir à temps pour aller chercher ma mère, Harold et Florian. L'atterrissage de leur vol est prévu pour quinze heures trente. Donc, on dîne et on part. Papa a la phobie d'être en retard quelque part, je crois, car il veut toujours qu'on soit en avance. Je lui ai dit que ça ne servirait à rien, puisque maman doit récupérer ses bagages et que ça peut être long, mais papa veut être là pour les saluer dès qu'ils vont débarquer de l'avion.

Tu crois que papa a encore des sentiments pour maman ?

~ 11 h 24 ~

Il a fallu que je te laisse quelques minutes. C'était justement papa qui me demandait de me dépêcher d'aller dîner. Mais Mira n'est même pas encore arrivée ! *Cream puff*, ce n'est pas comme si c'était bien long, sortir des sandwichs pas de croûte du frigo… (JE SUIS ÉCŒURÉE DE MANGER ÇA !!!)

Donc… je suis de retour, car je voulais te donner ton cadeau, cher journal !

TADAM !!! C'est une jaquette pour mettre sur ta couverture ! En plus, je t'en ai pris deux ! Une pour l'été, qui est mauve avec des cornets de crème glacée, et une pour l'hiver, qui est rouge avec des petits sapins. C'est mignon comme tout, hein ?!

Je vais te mettre tout de suite la jaquette d'hiver. Voooooilà ! Que tu es beau, cher journal !

Bon, je te laisse, car Mira ne devrait pas tarder à arriver maintenant. La preuve, elle vient de m'écrire un nouveau texto.

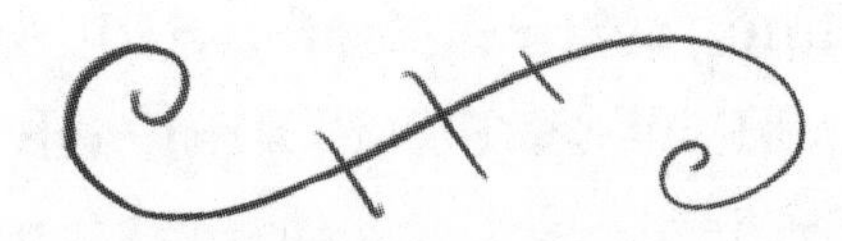

Samedi 27 décembre

~ 9 h 56 ~

Maman est arrivée ! Je suis tellement contente de savoir qu'elle est tout près de chez moi. Je peux l'appeler quand je veux (surtout avec mon nouveau cellulaire !!!). Je peux passer la voir n'importe quand. Je peux lui montrer ma vie, mon quotidien. Ça change de toutes les fois où c'est moi qui vais chez elle. Quand je suis à New York, c'est génial, c'est vrai, mais en même temps je me sens toujours un peu dépaysée et c'est épuisant.

D'ailleurs, je voulais te parler de son arrivée à Montréal. Comme prévu, papa, Mira et moi sommes allés les attendre à l'aéroport beauuuuu-coup trop à l'avance. Mira et moi, on est allées se promener dans les petites boutiques, pendant que papa buvait un café à une table.

On feuilletait les magazines à potins et on riait en regardant les photos des acteurs américains. Comme j'avais un peu de sous sur moi, je nous ai acheté des bonbons et on en a mangé des tonnes. Tellement, en fait, que j'ai eu mal au cœur et que j'ai commencé à me sentir vraiment mal. Parfois, je ne sais pas quand m'arrêter. Le pire, c'est que je n'apprends jamais de mes erreurs, on dirait. Pourquoi j'en reprenais sans cesse, aussi ?! Il faut dire qu'ils étaient succulents, ces *jelly beans* de toutes les couleurs…

Mira a plus de contrôle, car elle a cessé d'en prendre bien avant moi. Il faut dire qu'avec son régime elle passe son temps à vérifier ce qu'elle mange. Elle est beaucoup plus habituée que moi à faire attention de ne pas ingurgiter trop de sucreries. Parce que, de mon côté, je ne surveille jamais rien…

Ensuite, on est retournées s'asseoir avec papa. J'avais apporté mon cellulaire et Mira m'a montré des jeux auxquels je pouvais jouer pour passer le temps. Une bonne heure et demie plus tard, c'était enfin le temps d'aller voir près des portes si maman arrivait. Mais son vol était retardé, alors on a ENCORE attendu. Finalement, quand elle est arrivée devant nous, j'avais juste une chose en tête : aller faire pipi. C'est que je me retenais depuis bien trop longtemps.

Je l'ai à peine saluée (elle a dû me trouver total bête !) et je me suis sauvée vers les toilettes. À mon retour, Mira en avait profité pour se présenter à Harold et Florian. Celui-ci a haussé un seul sourcil (comment il fait pour n'en lever qu'un ?) quand il m'a vue et il m'a fait un petit sourire en coin. Moi, j'ai sauté dans les bras de ma mère et on s'est fait un énorme câlin. Ça faisait du bien !

Papa ne semblait pas trop mal à l'aise de rencontrer Harold, et les deux ont discuté tranquillement, moitié en anglais, moitié en français, tandis qu'ils marchaient devant nous. J'étais à côté de ma mère, et Mira et Florian étaient derrière nous. Je n'ai pas entendu ce qu'ils se disaient, car j'avais des tas de choses à raconter à maman. Ce n'est que lorsque nous sommes montés dans la voiture que j'ai repris place à côté de ma cousine. On était à l'arrière de la camionnette et elle en a profité pour me chuchoter à l'oreille :

Mira : Florian… Il est top canon ! Tu m'avais caché ça !

Moi : Ben… moi, je ne trouve pas.

Mira : C'est que tu es aveugle, alors !

Moi : Hum…

MIRA : En tout cas, c'est clair que je vais m'essayer pour sortir avec lui. Ça te dérange pas, j'espère ?

Ça m'a frappée bizarrement dans le ventre. Est-ce que ça me dérangeait que Mira sorte avec Florian ? Je n'arrivais pas à me décider. Tout d'abord, je trouve que les deux ne vont pas du tout ensemble, malgré ce que je pensais au début. Ensuite, c'est comme si Mira essayait encore de s'immiscer entre un de mes amis et moi. OK, Florian n'est pas réellement mon ami, mais on s'entend relativement bien, pour un demi-frère et une demi-sœur. Si elle sort avec lui, je vais apprendre des choses sur lui que je n'ai pas nécessairement le goût de savoir…

Et Mira peut être tellement… Je ne sais pas comment le dire. Disons qu'elle n'a pas toujours un comportement exemplaire avec les gars qu'elle fréquente. En plus, si un jour elle veut casser, elle va encore une fois me remettre ça entre les mains et je vais devoir me taper tout le travail, comme avec Colin en octobre dernier ! Non merci !!

Mira insistait pour savoir si ça me choquait, qu'elle s'essaye avec Florian, alors il a bien fallu que je lui réponde :

Moi : Non, non… Tu fais ce que tu veux.

Mira : Génial ! Parce que si tu avais dit non, je ne sais pas ce que j'aurais fait, étant donné que ça a l'air d'avoir déjà cliqué entre lui et moi. Tu as vu comment il me regardait ?!

Moi : Pas vraiment, non…

Mira : Il a tellement des beaux yeux, en plus ! Et ses cheveux blonds… Wow ! J'en reviens pas que tu m'aies juste dit qu'il était… c'était quoi, d'ailleurs ?

Moi : Fendant. Il est fendant.

Mira : Voyons ! Il est zéro comme ça ! Tu ne le connais pas du tout !

Moi : Mais toi oui… ?

Avant qu'elle n'ait pu rétorquer quoi que ce soit, Florian s'est tourné vers nous et il m'a fait un clin d'œil. À moi. Mais Mira a cru qu'il lui était destiné, alors elle s'est mise à cligner exagérément

des yeux. Je trouvais qu'elle avait l'air d'une folle, mais je n'ai rien dit. Florian devait penser comme moi parce qu'il a relevé son sourcil, avant de se retourner vers l'avant.

Ce soir, maman nous invite, mes frères et moi, à souper au resto avec Harold et son fils. Mais dès lundi, Florian a insisté pour qu'on lui fasse visiter la ville. Évidemment, Mira sera là, ainsi que Colin. D'ailleurs, je dois vérifier s'il est encore disponible. Ça fait quelques jours qu'on ne s'est pas parlé.

Ça risque d'être bizarre de voir Mira faire de l'œil à Florian devant Colin et moi…

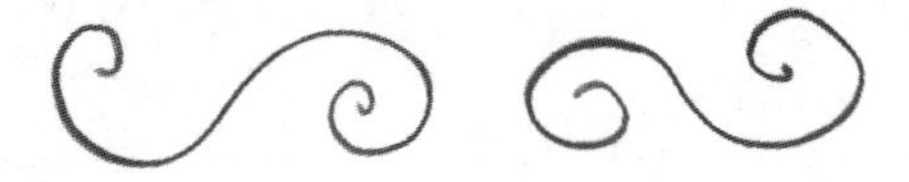

Dimanche 28 décembre

~ 10 h 38 ~

Florian est là.

Ouin…

Il est passé à la maison ce matin sans s'annoncer. Il a dit, en entrant sans y être invité, qu'il était *tired* de passer son temps dans sa chambre d'hôtel, à regarder la télévision. Qu'il avait besoin d'un peu d'action. Et comme il s'est plutôt bien entendu avec Sébas, hier, durant le souper, il en a profité pour venir le voir. Sauf que Sébas n'est pas là. Il est allé rejoindre des amis. Alors qui va devoir se taper la compagnie de Florian ?! Moi, bien sûr…

En ce moment, il parle avec Anto dans le salon. Moi, j'en ai profité pour aller m'habiller. Parce que OUI, j'étais encore en pyjama quand Florian est arrivé. Avoir su que c'était lui qui sonnait, j'aurais laissé Anto ou mon père répondre. Parce que Florian ne s'est pas gêné pour passer un commentaire sur la couleur et le look de mon pyjama (rouge et blanc, avec des cannes de Noël un peu partout). Il a dit que j'avais l'air d'un *giant candy* !

Je vais lui en faire, moi, des bonbons géants ! Pfff…

~ 17 h 48 ~

Le souper est presque prêt. J'ai à peine quelques minutes pour t'écrire. Florian vient de partir (il a TOUT essayé pour qu'on l'invite à souper, mais son père l'a appelé et il bien été obligé de s'en aller) et je voulais te dire ce qu'il m'a avoué.

Non, non, ne t'inquiète pas, ça ne me concerne pas du tout. En fait, c'est plutôt à propos de Mirabelle. Pauvre elle… Florian n'est ABSOLUMENT pas intéressé par ma cousine. Il a même dit qu'il la trouvait un peu intense, avec sa façon de se coller à lui et d'insister pour lui parler en anglais. C'est vrai qu'elle a un anglais atroce, mais au moins, elle fait des efforts !

Et il n'a rien à dire, Florian… Son français est truffé de mots anglais. Et son accent est difficile à comprendre. Parfois, j'aime autant qu'il me parle en anglais. Au moins, je suis certaine de saisir ce qu'il dit !

Bref, je pense que je vais devoir annoncer à Mira qu'elle se fait des idées. Jamais Florian ne voudra sortir avec elle. Pourtant, elle est super belle, ma cousine. Je me demande quel genre de filles lui plaît, à Florian. J'ai tenté de lui demander, mais il n'a pas été très précis.

Moi : Mais elle est super belle, ma cousine...

Florian : **It's not** la seule chose importante. **You know**...

Moi : C'est quoi, alors, qui est important ?

Florian : **Personality**. Elle doit être **sweet**, intelligente. **Sportive... and funny** !

Moi : Mon chien est mort, j'imagine.

Florian (l'air horrifié) : **What ?** Ton chien **is dead** ?

Moi : Non, pas mon VRAI chien ! C'est une expression.

Florian : **An expression ? It's** bizarre...

Moi : Oublie ça. Je voulais juste dire que je suis loin d'avoir toutes ces

qualités là et que je ne pense pas qu'un gars va s'intéresser à moi avant longtemps…

Florian : **I'm not sure about that, baby.**

Moi : Arrête de m'appeler **baby** ! Je suis pas ton **baby**, OK ?!

Ça sent bon dans la maison. Je crois que papa a fait du pâté chinois ! Yé ! Fini les petits sandwichs pas de croûte. Je pense que je vais en faire une indigestion ! Je te laisse, j'ai le ventre qui gargouille !!!

~ 20 h 36 ~

Ça fonctionne pour demain. Colin va venir me rejoindre chez moi, tout comme Florian et Mirabelle. Ensuite, papa nous reconduira au centre-ville, où on pourra se promener durant toute la journée. On va s'arrêter pour dîner dans un resto et on va revenir vers la fin de l'après-midi en métro.

Je suis un peu stressée… J'espère juste qu'il n'y aura pas trop de malaises…

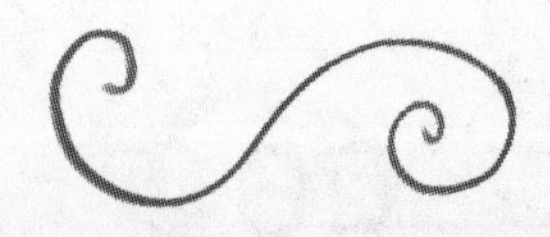

Lundi 29 décembre

~ 8 h 59 ~

Je suis prête. Je n'attends que les autres. J'ai à peine réussi à prendre deux bouchées de mon bol de céréales, à cause de la nervosité.

Ça va bien aller. Ça va bien aller. Ça va bien aller…

Oh ! Voilà que Colin arrive ! Je le vois par la fenêtre du salon.

Il faut que je te laisse. Souhaite-moi une bonne journée !

~ 22 h 16 ~

Journée… passablement étrange.

Tout d'abord, Colin et Mira se sont total ignorés. Ensuite, Mira était pendue aux lèvres de Florian, c'en était presque gênant. Florian, pour sa part, était fendant comme pas un (ce qui n'est pas tellement surprenant, venant de lui). Mais ce n'est pas le plus bizarre…

En fait, ce qui m'a le plus surprise, c'est l'amitié qui s'est tissée entre Colin et Florian. Je dirais

même qu'à la fin de la journée, ils étaient devenus les deux meilleurs amis du monde ! Quand l'un faisait des blagues, l'autre renchérissait aussitôt et les deux éclataient de rire. J'irais jusqu'à dire que je me suis sentie un peu de trop, entre ces deux-là.

Colin est nul en anglais, mais il tentait quand même de baragouiner quelques phrases, tandis que Florian, lui, s'obstinait à vouloir parler en français, alors qu'il lui manque beaaaaucoup de vocabulaire.

Bref, ces deux-là ont passé une excellente journée. Quand on est revenus en métro, ils parlaient déjà de se revoir avant le départ de Florian pour New York. Mira était devenue silencieuse et ce n'est que lorsque Colin est reparti chez lui et que Florian a pris un taxi vers son hôtel qu'elle s'est ouverte à moi. Je sais qu'elle était déçue de voir que Florian n'avait pas manifesté le moindre intérêt pour elle, mais elle a fait comme si tout ça l'indifférait.

Moi : Et puis, tu as passé une belle journée ?

Mira : Hum, hum...

Moi : Et pour Florian, tu sais...

Mira : Bof, tu sais, moi, l'amour à distance. Je ne pense vraiment pas que c'est une bonne idée de sortir avec lui. De toute façon, je suis très bien, toute seule. Ce n'est pas un beau gars qui va me faire changer d'idée !

Moi : Je suis contente que tu le prennes comme ça. J'avais peur que tu... Enfin, peu importe. Et avec Colin ? Tu n'étais pas trop mal à l'aise ?

Mira : Mal à l'aise ? Absolument pas ! Bon, c'est certain que de le voir faire le chien de poche autour de Florian était un peu biz, mais ce n'est pas mes oignons...

Moi : Pourquoi tu dis ça ?! Les deux gars ont eu l'air de bien s'entendre, je trouve.

Mira : Si tu le dis...

Après, elle a appelé sa mère pour qu'elle vienne la chercher. Il faisait froid et elle ne voulait pas marcher. Quand elle a été partie, j'ai texté Florian pour savoir ce qu'il avait pensé de Colin. Voici ce qu'il m'a répondu :

Its a great guy!

You should sortir avec lui.

On est juste amis, tu le sais !

Well, he is in love avec toi.

Open your eyes, baby!

ARRÊTE DE M'APPELER **BABY** !

Relax, ba...

Relax, Dylane.

C'est juste un **nickname.**

Et Mira, tu l'as trouvée comment ?

As usual.

Elle est **too much.**

Not like you.

Qu'est-ce que tu veux dire ?

If tu étais pas **in love with** Colin, je sortirais **with you**.

Je suis PAS en amour avec Colin !

Reviens-en !

OK, so, tu veux être **my girlfriend** ?

QUOI ?! Mais tu m'aimes même pas.

Et on est des demis !

En plus, t'habites à New York !

On s'en fout.

Think about it.

Réponds-moi **tomorrow.**

Good night, baby...

Sérieux, on peut dire que c'est la PIRE demande pour sortir avec une fille ! Par textos ! Pfff !

Mais voilà où j'en suis. Florian attend ma réponse. Et ça ne tourne pas rond dans ma tête, je crois, car je dois avouer que… je ne sais pas encore ce que je vais lui dire…

JANVIER
« Florian m'a demandé d'être
sa blonde il y a TROIS jours !
S'il m'appelle UNE autre fois baby,
JE L'ÉGORGE !!
J'ai QUATRE caries dans la bouche !!!
Et je sens déjà que mes
DEUX meilleurs amis (Colin et Mira)
voudront me renier si je réponds à
Florian ce que j'ai vraiment
sur le cœur... »

LES DIX
RÉSOLUTIONS DE DYLANE POUR LA PROCHAINE ANNÉE

1. Décider si oui ou non je veux sortir avec Florian.

2. Arrêter de penser à Colin...

3. Ne pas avoir peur de dire à Mira quand elle exagère ou qu'elle fait son cinéma pour me manipuler (bref, presque tous les jours).

4. Devenir une meilleure cuisinière (j'aimerais bien faire du pâté chinois, moi aussi, pour les soirs où papa n'a pas le goût de préparer le souper).

5. Essayer de manger plus de légumes chaque semaine (peut-être aussi du tofu, même si c'est BEURK!).

6. Appeler ma mère plus souvent.

7. Ranger ma chambre tous les jours (bof, cette résolution, c'est vraiment pour papa que je la prends…).

8. Ne plus me chicaner avec mes frères pour des raisons ridicules.

9. Me coucher plus tôt (pour être capable de me lever à l'heure pour l'école et ne plus rater mon autobus !).

10. La dernière, mais non la moindre (c'est papa qui dit toujours ça, en parlant de moi, parce que je suis la dernière de ses enfants…) : Écrire dans mon journal TOUS les jours !

Jeudi 1er janvier

~ 7 h 25 ~

Je n'ai même pas d'école et pourtant je ne dors plus le matin. Ni le soir, d'ailleurs. Et encore moins la nuit ! Résultat : je suis hyper fatiguée depuis trois jours. Pourquoi ? À cause de la demande de Florian, évidemment ! J'y repense encore et encore. Je ne fais que songer à ça, en fait.

Ça m'empêche de dormir, mais aussi de manger, de lire, de réfléchir à quoi que ce soit d'autre… Je n'en peux plus ! Il va falloir que je règle cette histoire avant de devenir complètement folle !

En plus, je passe mon temps avec Florian. Comme je vois ma mère presque tous les jours, afin de profiter de sa présence, je ne peux pas éviter mon demi-frère. OK, il n'est pas réellement mon demi-frère, puisque nous n'avons aucun lien de parenté, mais je le mentionne surtout pour que j'arrête de m'imaginer que lui et moi, ça pourrait être possible. Parce que je dois bien l'avouer, je suis en train de me monter tout un scénario à son sujet…

Il a beau être pas mal fendant, Florian, il est aussi tout ce qu'il y a de plus craquant. Je ne voulais pas le voir, avant, parce qu'il a tendance à nous montrer tous ses défauts quand on le rencontre. Et ses qualités, il ne les dévoile qu'une fois qu'il nous connaît. En tout cas, c'est ma perception de la chose.

C'est vrai qu'il est drôle, Florian. Et gentil. Attentionné. Intelligent. Il a de quoi être fendant, finalement ! Sauf qu'il habite beaucoup trop loin de chez moi. Qu'il vit avec ma mère et qu'il est anglophone (bon, ça, on s'en fiche un peu, c'est vrai). Chose certaine, ce n'est pas un gars pour moi.

N'empêche… je me demande ce que ça me ferait, de l'embrasser…

~ 8 h 02 ~

Et s'il embrasse bien…

~ 8 h 47 ~

Sûrement pas mieux que Colin !

~ 9 h 13 ~

OMG !

Je pense que je suis total infidèle !

J'aime DEUX gars en même temps !

Pas le choix ! Il faut absolument que je jette un coup d'œil à mon horoscope pour la prochaine année. Tiens, je vais essayer de trouver mon signe chinois. On ne sait jamais, peut-être que j'y dénicherai la réponse à TOUTES mes questions…

Horoscope chinois

Pour trouver ton signe, repère ton année de naissance dans la période qui lui est associée.

Rat

1996 - 2008

PERSONNALITÉ

Si ton signe est le Rat, sache que tu es extrêmement séduisante et appréciée par les garçons qui t'entourent. Tu es féminine et tu as de l'ambition. Romantique et passionnée, tu en fais parfois un peu trop... Tu as du goût et tu t'habilles comme une carte de mode! Fais attention que ton apparence ne prenne pas le dessus sur ta personnalité...

RELATIONS IDÉALES:

Tu t'entends à merveille avec les Dragons et les Singes, qui sont très énergiques, tout comme toi! Tu réussis aussi à créer de belles alliances avec les Cochons, les Buffles et les Chiens.

Buffle

1997 - 2009

PERSONNALITÉ

Tu es quelqu'un d'honnête et de fiable, sur qui l'on peut toujours compter. Ces qualités font de toi l'amie parfaite! Mais tu dois aussi apprendre à te laisser aller un peu. N'aie pas peur de t'amuser et de sortir de ta zone de confort. En amour, tu as tendance à écouter la voix de la raison, et non celle de ton cœur. Fais-toi davantage confiance et prends des risques.

RELATIONS IDÉALES:
Tu aimes les Serpents, les Coqs, les Dragons et les Cochons. Avec les Singes, tu formes une excellente équipe, tout comme avec les Lapins et les Rats.

Tigre

1998 - 2010

PERSONNALITÉ
La passion est ce qui te définit le mieux. Tu détestes t'ennuyer et perdre ton temps. Pour être heureuse, tu as besoin qu'on t'admire et qu'on te remarque. Ton charisme n'a pas de limite ! En amour, tu fuis les garçons jaloux ou qui voudraient te mettre en cage. Tu as tellement besoin de ton indépendance !

RELATIONS IDÉALES:
Avec les Chiens, les Chevaux et les Dragons, tu formes un couple dynamique. Certains Cochons peuvent t'aider à rendre ta vie plus stable.

Lapin

1999 - 2011

PERSONNALITÉ
La douceur et la discrétion te caractérisent. Il est rare qu'on t'entende parler en public. Toujours de bonne humeur, tu te fais facilement des amis. Étant très sensible, tu exploites ce côté de ta personnalité en arts de toutes sortes. Mais parfois, tu as un peu peur de plonger et de risquer. En amour, tu recherches de la stabilité. Pas question pour toi de changer d'amoureux chaque semaine !

RELATIONS IDÉALES:
Tu t'entends très bien avec les Chèvres, les Cochons, les Chiens et les Lapins. Les Buffles, les Serpents et les Tigres sont aussi capables de faire ressortir leur côté sensible, ce qui te plaît grandement.

Dragon

2000 - 2012

PERSONNALITÉ

Tu es tout simplement flamboyante! Extravagante à tes heures, tu n'as pas peur de te faire remarquer, loin de là! On dirait même que tu ne vis que pour ça! Tu n'écoutes guère la critique, par contre, et tu ne suis jamais les conseils qu'on te donne. Fais attention à ce léger défaut. Les gens qui t'entourent te veulent du bien, tu sais… Tu charmes chaque garçon qui croise ta route! Chanceux celui qui saura gagner ton cœur.

RELATIONS IDÉALES:

Tu t'entends merveilleusement bien avec les Singes et les Rats, ainsi que les Buffles et les Tigres, qui t'admirent sans retenue. Tu aimes aussi l'enthousiasme des Dragons, des Serpents et des Cochons.

Serpent

2001 - 2013

PERSONNALITÉ

Très élégante, tu restes maîtresse de toi en toute occasion. Légèrement calculatrice, tu sais quoi dire et quoi faire pour montrer la meilleure facette de ta personnalité. D'une grande sagesse en amour, tu recherches une relation stable. Exigeante et difficile à satisfaire, ton amoureux aura du pain sur la planche, s'il veut être à ta hauteur… Sois indulgente, sinon tu finiras par te retrouver toute seule.

RELATIONS IDÉALES:

Les Bœufs, les Coqs, les Chiens et les Rats répondent à tes exigences. Tu peux atteindre un bel équilibre avec les Serpents, les Dragons et les Lapins.

Cheval

1990 - 2002 - 2014

PERSONNALITÉ

Wow! Quel dynamisme! Tu profites de la vie à fond et tu ne t'inquiètes pas de ce que pensent les autres. Quelle belle attitude! Mais fais tout de même attention de ne pas te laisser entraîner dans l'instant présent et d'en oublier le futur… Très peu ponctuelle, cela pourrait te nuire, autant à l'école qu'au travail. Tu es une amoureuse passionnée qui a besoin de tomber en amour souvent. À chaque fois, tu crois avoir trouvé LE prince charmant…

RELATIONS IDÉALES :

Les signes extravertis comme les Tigres et les Chiens vont très bien avec toi. Tu t'entends également avec les Chèvres, les Dragons et les Chevaux. Les Coqs, aussi enthousiastes que toi, te plaisent beaucoup.

1991 - 2003 - 2015

PERSONNALITÉ

C'est justement l'année de la Chèvre ! Essaie de la vivre à fond. Avec ton côté stable, ce n'est pas toujours facile de te laisser aller… La famille est très importante pour toi et tu n'aimes pas tellement voyager. Les romans et les films te font déjà rêver de paysages exotiques. Tu ne ressens pas le besoin d'aller les visiter… En amour, tu aimes te sentir en sécurité et protégée. Tu mettras sûrement du temps avant de trouver LE bon gars. Mais lorsque tu auras mis le grappin dessus, rien ne pourra te faire changer d'idée !

RELATIONS IDÉALES :

Tu aimes les signes artistiques, comme les Lapins et les Cochons. Les Chevaux te sécurisent et les Chèvres te plaisent pour leur optimisme.

Singe

1992 - 2004

PERSONNALITÉ

Ton sens de l'humour, ton dynamisme et ton imagination font en sorte qu'on ne s'ennuie jamais avec toi ! Tu aimes tout savoir, tout connaître, même si tu manques parfois un peu d'empathie envers les autres. Tu fais la fête très souvent, au risque de t'épuiser. À l'école, il t'arrive de remettre l'autorité en question. Fais attention à ce petit défaut, car cela pourrait te jouer des tours... Ton léger côté immature peut charmer les garçons, mais ils ont de la difficulté à bien te comprendre. Apprends à communiquer, cela t'aidera dans tes relations.

RELATIONS IDÉALES :

Tu aimes les Rats et les Dragons, et ils te le rendent bien. Les Cochons, les Singes et les Buffles apprécient aussi beaucoup ta personnalité enflammée.

Coq

1993 - 2005

PERSONNALITÉ

Quelle efficacité, autant à l'école que dans ta vie familiale ! Tu es une perfectionniste qui passe son temps à tout remettre en ordre. Les responsabilités ne te font pas peur, loin de là ! D'un autre côté, cet aspect de ta personnalité peut passer pour envahissant et parfois même autoritaire. Ne prends pas de décisions pour les autres, personne n'aime ça ! Ton côté minutieux peut te pousser à faire de l'anxiété. Respire et lâche prise, c'est le meilleur conseil qu'on puisse te donner... En amour, essaie de ne pas tout contrôler, car cela ferait fuir tes prétendants !

RELATIONS IDÉALES :

Les Buffles et les Serpents, plus sérieux, sauront te plaire, comme les Cochons et les Dragons, qui ne sont pas trop sensibles. Les Chevaux, qui sont capables de faire des compromis, formeront aussi un bon couple avec toi.

Chien

1994 - 2006

PERSONNALITÉ

Très protectrice et loyale, tu es une amie en or pour qui prend le temps de te connaître. Tu te donnes sans compter pour les autres et

tu pourrais avoir tendance à ne plus penser à toi... Fais attention de ne pas te perdre de vue. Tu dois aussi te trouver des amis sur qui tu peux compter, car tu pourrais avoir des moments de mélancolie où tu ressens le besoin de te faire rassurer. Lorsque tu rencontres un garçon, tu lui accordes facilement ta confiance. Prends ton temps avant d'ouvrir ton cœur. Les autres ne sont pas tous aussi dévoués que toi.

RELATIONS IDÉALES:

Les Tigres et les Chevaux sont des compagnons idéaux pour toi. Les Serpents et les Chiens te respectent, et les Cochons font preuve de beaucoup de chaleur envers toi. Tu peux aussi te fier aux Rats et aux Lapins.

Cochon

1995 - 2007

PERSONNALITÉ

Tu es une amie parfaite, car tu es drôle, attachante et tu aimes être entourée. Tu travailles fort à l'école et tu récoltes du succès dans ce que tu entreprends. Tu es toutefois une grande naïve. Attention qu'on ne profite pas de toi, même si cet aspect fait partie de ton charme... En amour, tu es séduite par un garçon drôle mais sérieux, qui ne cherche pas à plaire à tout le monde. Quand tu t'engages dans une relation, tu ne le fais pas à moitié. Ton futur amoureux appréciera sûrement ce côté de toi. Mais garde-toi une petite réserve, car ta naïveté pourrait te faire verser quelques larmes, bien malgré toi...

RELATIONS IDÉALES:

Les Lapins et les Chèvres sont émotifs, eux aussi. Les Singes, les Tigres et les Coqs te complètent très bien. Sans oublier les Dragons, les Buffles et les Chiens. Bref, tu t'entends quasiment avec tous les autres signes!

Ouf!!! Je ne suis pas un COCHON!!! Ça aurait vraiment été la honte totale!!! Mais si je lis mon signe, qui est le Serpent, je m'accorderais autant avec les autres Serpents (comme Colin et moi), qu'avec les Dragons (comme Florian). Je ne suis pas plus avancée que tout à l'heure…

En plus, je m'entends très bien avec SEPT autres signes de l'horoscope chinois! Ça fait de moi une fille infidèle et incapable de se brancher. Et ça dit que je suis CALCULATRICE! Genre total manipulatrice! C'est juste trop n'importe quoi! Je ne suis pas du tout comme ça. Je pense que je vais le déchirer en petits morceaux, cet horoscope, et qu'il va finir dans ma corbeille!

Franchement! Calculatrice… Et toujours selon mon signe, je vais finir par me retrouver toute seule, si je ne suis pas plus indulgente! Pfff… *Cream puff*, s'il y a quelqu'un qui est indulgent dans cette maison, c'est bien moi! Je suis ULTRA indulgente!

La preuve: je passe par-dessus le fait que Florian soit fendant. Et snob. Et qu'il m'appelle toujours *baby*, comme si j'étais déjà sa blonde. Puis, en ce qui concerne Colin, je suis son amie même s'il est mauvais perdant et que ses blagues ne sont pas toujours très bonnes. En plus, je lui pardonne toujours tout, à lui.

Bref, je suis ZÉRO calculatrice et je suis TOTAL indulgente ! L'horoscope chinois, ça ne marche pas du tout !!!

~ 10 h 02 ~

Je vais aller lire le signe de Mirabelle. Elle est née en décembre, un an avant moi, alors son signe ne sera pas le même que le mien.

~ 10 h 16 ~

Bien sûr… Selon l'horoscope, Mira est flamboyante, elle ! Elle n'est pas CALCULATRICE ! Bon, en ce qui concerne le fait qu'elle ne suit pas les conseils des autres, c'est un peu vrai, par contre. Et pour son charme aussi… En plus, elle et moi on devrait bien s'entendre.

~ 10 h 38 ~

N'empêche que je ne suis PAS calculatrice !

~ 11 h 59 ~

J'ai demandé à Fred s'il me trouvait calculatrice et il m'a regardée avec l'air de ne pas comprendre pourquoi je lui demandais ça. Ça doit vouloir dire que je ne le suis pas. Papa, lui, a préféré me rétorquer que je devais ranger ma chambre. Et

Sébas a marmonné qu'il s'en foutait. Comme je ne pouvais pas avoir le point de vue d'Anto, j'ai texté Colin.

Comme il ne comprenait pas pourquoi je voulais savoir ça, il a fini par me téléphoner sur mon cellulaire pour avoir des explications. Je lui ai dit que c'était ce que mon horoscope chinois disait sur mon signe. Alors il a éclaté de rire et il m'a juste conseillé de ne pas me fier à un horoscope pour connaître ma personnalité. Puis, il a fallu qu'il raccroche parce que sa mère l'appelait pour le dîner.

Je crois que je vais texter Florian pour avoir son opinion sur le sujet…

Florian ?

Yes, baby!

ARRÊTE !
J'ai une question.

Shoot!

Est-ce que tu me trouves calculatrice ?

What does it mean?

Ça veut dire que je manipule les autres pour avoir ce que je veux.

Est-ce que je suis comme ça ?

Well... vraiment pas.

Ouf ! Tu me soulages !

OK, so...

Je viens de fermer mon cellulaire en vitesse. Je suis tannée que Florian me demande de lui donner ma réponse au plus vite, car je ne sais pas encore quoi lui dire. Je dois réfléchir. J'ai besoin de plus de temps. Et aussi de remplir mon estomac. Je vais aller manger en premier.

~ 13 h 59 ~

Cher journal, penses-tu que Florian a dit que je n'étais pas calculatrice juste parce qu'il veut sortir avec moi ? Dans ce cas, c'est lui qui serait calculateur… Et je ne veux PAS sortir avec un gars qui est calculateur !

Cream puff…

Si j'étais calculatrice et manipulatrice, je saurais quoi faire pour avoir la vérité. Mais voilà la preuve que je ne le suis pas ! Je n'ai aucune idée de ce que je dois faire !

~ 21 h 45 ~

Oh, j'allais presque oublier…

BONNE ANNÉE, CHER JOURNAL !!!

Vendredi 2 janvier

~ 9 h 37 ~

Maman repart pour New York dimanche. Avec Harold et Florian. Mon père les a invités à venir souper à la maison demain. Ça va me faire un peu bizarre, de les voir tous en même temps. Mais papa semble très bien accepter le nouvel amoureux de maman. C'est à croire qu'il ne l'a jamais aimée !

Je sais, ça fait un peu bébé de dire ça, mais moi, ça me dérange. Après tout, j'aurais préféré qu'ils restent ensemble et qu'ils ne se séparent jamais. Parce que Harold a beau être plutôt gentil, qui me dit que la prochaine blonde de papa ne sera pas détestable, elle ? C'est bien connu : les belles-mères, elles sont toujours horribles ! Juste à penser à Aurore l'enfant-martyre… Évidemment, on n'est plus au début des années 1900 et on ne vit pas dans un village ultra catholique, mais quand même, Aurore et moi, même combat, tsé !

Dans le fond, tout ce que j'aurais souhaité, c'est que maman revienne vivre au Québec avec nous. Sauf que je sais qu'elle n'aurait pas été heureuse. Pas parce qu'elle ne nous aime pas, mais parce que son travail est super important, pour elle. Quand je vais être vieille, sûrement que je vais me trouver un emploi dans lequel je vais pouvoir me réaliser autant que ma mère. Sauf que je ne quitterai pas ma famille, moi !

Il faudrait que je commence à y penser, d'ailleurs…

~ 10 h 01 ~

Je me demande ce que je pourrais faire comme métier…

~ 10 h 27 ~

Papa me dit qu'une chose est sûre : je ne pourrais JAMAIS être femme de ménage, parce que je suis nulle pour ranger ma chambre. N'importe quoi…

~ 10 h 58 ~

Évidemment, Sébas est venu s'en mêler et il a ajouté que je ne pourrais pas non plus être cuisinière, parce que dès que je mets les pieds dans une cuisine, c'est un désastre. Même la salade, je ne sais pas l'essorer correctement…

Re-n'importe quoi !

Anyway, je ne veux être ni femme de ménage ni cuisinière, moi !

~ 11 h 26 ~

Je pense que je serais une bonne prof de gym, comme papa. Ou physiothérapeute (pour soigner les blessures des athlètes). En tout cas, certainement quelque chose qui a un rapport avec le sport. Mais je ne sais pas trop ce que ça demande comme études…

~ 12 h 59 ~

Pendant le dîner, tout en mangeant LES DERNIERS petits sandwichs pas de croûte (ouf !!!), Anto m'a suggéré d'aller rencontrer la conseillère en orientation de l'école. Il paraît qu'elle a des documents et des tests auxquels je peux répondre pour découvrir dans quoi je serais bonne. Je n'avais jamais pensé à aller voir la conseillère de notre école. Elle est super gentille et elle est jeune, en plus, alors elle doit se rappeler son adolescence.

Parce que ça, c'est un problème avec les adultes qui veulent nous donner des conseils : ils ont de la misère à se rappeler comment c'était, être jeune. Ils sont trop déconnectés de notre réalité. Et le pire, c'est que ça ne sert pas à grand-chose de le leur dire, ils ne comprennent rien à rien.

Je ne me souviens plus du nom de la conseillère… Papa va pouvoir me le dire. Il n'a pas mangé avec nous parce qu'il dit que les sandwichs pas de croûte, ça lui donne des brûlements d'estomac. Alors il nous a laissés seuls dans la salle à dîner, pendant qu'il se préparait une soupe à je ne sais pas quoi.

Pfff… Je SAIS que c'est une excuse pour nous laisser tous les sandwichs !

Je reviens, je vais lui poser la question à propos de la conseillère en orientation.

~ 13 h 06 ~

Elle s'appelle Laurie. C'est un nom cool, je trouve. Je sens que je vais bien m'entendre avec elle. Dès mardi prochain, au retour à l'école, je vais passer la voir à son bureau.

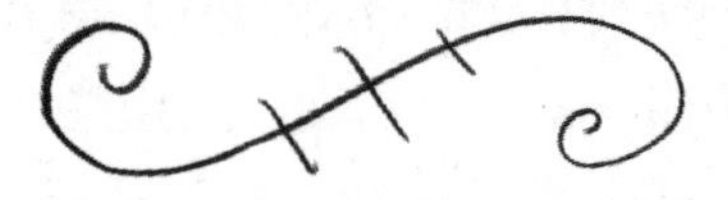

Dimanche 4 janvier

~ 13 h 37 ~

Je dois aller reconduire maman à l'aéroport. Elle repart déjà… Les vacances ont passé troooop vite ! En plus, il faut que je te raconte ma soirée d'hier, avec Florian. Je sens que je vais devoir écrire longtemps…

~ 18 h 16 ~

Ça y est, ils sont partis.

Avant qu'ils se dirigent de l'autre côté des portes tournantes, j'ai fait un énorme câlin à ma mère, car je sais qu'elle va me manquer terriblement. Prochaine fois qu'on va se voir : aucune idée… Peut-être à Pâques, qui est au mois de mars, donc total trop loin.

J'aimerais ça la revoir avant, mais maman va avoir des tas de voyages à faire pour son travail, donc elle ne peut rien me promettre avant d'avoir la confirmation de tous ses déplacements. Florian était triste parce qu'il espérait que je revienne à New York plus tôt, étant donné que…

Ben je ne lui ai pas dit oui, mais je ne lui ai pas dit non, non plus…

Je sors donc à moitié avec le FF, le fils fendant ! Qui aurait cru cela il y a quelques semaines à peine…

Mais laisse-moi t'expliquer comment ça s'est déroulé. Hier, il est arrivé un peu avant ma mère et Harold, qui sont venus en taxi. Florian a pris l'autobus. Il aime nos transports en commun. Il dit qu'ils sont toujours vides et que c'est le *fun* de voir la ville de cette façon. Vide, c'est vite dit. J'imagine que c'est parce qu'à New York il y a tellement de monde !

Il m'a suivie dans ma chambre et il a passé son temps à me dire pourquoi il voulait être mon *chum*. Je l'écoutais moyennement parce que je textais Mira, qui se plaignait de ne pas pouvoir venir souper avec nous. Selon moi, elle voulait revoir Florian avant son départ. Celui-ci s'est rendu compte que je n'étais pas très attentive, parce qu'il a fini par me voler mon cellulaire des mains, pour lire les messages de ma cousine.

Il n'arrivait pas à bien les lire, étant donné que Mira fait des tas de fautes, mais aussi parce qu'il n'est pas très doué en français, même s'il le pratique beaucoup depuis qu'il est au Québec.

Mais il a compris que ma cousine voulait venir à la maison. Tout de suite, il s'est exclamé qu'il ne voulait pas la voir et qu'il préférait passer sa dernière soirée seul avec moi.

C'est drôle parce que Florian peut me dire les trucs les plus romantiques du monde et ça ne me met pas vraiment à l'envers. Avec Colin, je sais que ce serait différent s'il me parlait de la même façon. C'est un peu comme si j'étais trop à l'aise avec Florian. Je ne sais pas si c'est parce que je l'aime beaucoup ou, au contraire, parce que je ne l'aime pas du tout…

Je ne suis pas claire, n'est-ce pas ? OK, je vais essayer de t'expliquer. Quand je sortais avec Malik, j'avais souvent peur de le décevoir. Je voulais qu'il me trouve belle et intelligente. Mais ce n'était pas facile et je ne savais plus trop comment agir en sa présence. Avec Florian, on dirait que je m'en fiche un peu. Et je crois que c'est parce que je SAIS qu'il ne me juge pas. Alors qu'avec Colin, c'est encore une fois total différent. Quand on est ensemble, juste le fait de le regarder me donne des maux de ventre.

Donc… Florian, je ne crois pas que je l'aime autant que Colin. Mais je me sens toujours bien en sa présence. Et j'ai le goût de passer du temps avec lui, de rire des mêmes blagues et de l'appeler pour lui parler. C'est pour ces raisons que je crois qu'il ferait un bon *chum*… même si je ne suis pas en amour avec lui.

Et puisque Colin ne m'aime pas…

Peut-être que j'apprendrai à aimer Florian, à la longue ?

En tout cas, une fois que celui-ci m'a volé mon cellulaire, je lui ai sauté dessus, mais il est vraiment plus fort et plus grand que moi. Donc, il tenait le téléphone haut dans les airs et moi je sautais pour essayer de le lui reprendre. Finalement, il m'a dit qu'il me le remettrait seulement si je lui donnais une réponse immédiatement. J'ai haussé les épaules et j'ai croisé les bras sur ma poitrine, indécise. Ça ressemblait un peu à ceci :

Moi : C'est parce que… je n'ai pas de réponse à te donner…

Florian : **So…** ce n'est pas un « non » ?

Moi (silencieuse) : …

Florian : **And…** ce n'est pas un « oui » non plus ?

Moi (toujours en gardant le silence, mais en me mordant les lèvres) : ...

Florian : **I'm OK with that.** Tu es ma demi-**girlfriend**, alors ?

Moi : Hum... ça me va !

Il m'a fait un grand sourire avant de redescendre la main et de déposer mon cellulaire sur mon bureau. Puis, il a posé ses mains sur ma taille et il m'a attirée vers lui. Lorsque ses lèvres ont effleuré les miennes, je n'ai pas eu de frissons, comme lors du baiser avec Colin, au party d'Halloween. Mais j'ai senti que c'était quand même parfait.

Florian avait les lèvres douces et chaudes. En plus, il sentait super bon. Pas très longtemps après, on a entendu la porte d'entrée sonner, ce qui voulait dire que ma mère arrivait. Il m'a fait un clin d'œil et on est allés accueillir nos parents.

Ensuite, on a passé la soirée semi-collés, semi-décollés. C'est-à-dire qu'on voulait être tout le temps ensemble, mais on ne voulait pas nécessairement que les autres s'en rendent compte. Alors on allait souvent dans ma chambre juste lui et moi.

On s'étendait sur mon lit et on s'embrassait. On s'est vraiment beaucoup embrassés, d'ailleurs…

Mes lèvres étaient toutes gonflées et rouges. Florian prenait ma main dans la sienne et on croisait nos doigts ensemble. Puis, on se racontait ce qu'on voulait faire quand on serait adultes. Il m'a dit qu'il souhaitait travailler en aéronautique. Moi, je lui ai avoué que j'avais décidé de rencontrer une conseillère en orientation pour y voir plus clair. Ça l'a bien fait rire et il a dit que c'était ce genre de trucs qui lui plaisait, chez moi.

J'aurais voulu m'en offusquer, mais je n'ai rien compris à ce qu'il me racontait, alors je n'ai rien dit. Est-ce qu'il voulait dire que je suis bizarre ? *Cream puff*, ce serait bien son genre de me lâcher une insulte du genre ! Au moment du dessert, je lui ai montré comment préparer un parfait chocolat chaud à la guimauve et il a bien suivi les étapes. On a rigolé un peu avec la crème fouettée qu'on a ajoutée, qu'il m'a étendue sur le nez et les joues, avant de m'embrasser. On a failli se faire prendre par mon frère Sébas, qui est entré dans la cuisine seulement deux minutes plus tard !

Quand Florian est parti en direction de son avion, aujourd'hui, je lui ai seulement envoyé la main, sans l'embrasser à nouveau. Ma mère était

juste à côté et ça me mettait mal à l'aise. Surtout qu'elle ne sait pas que lui et moi… Ben, ce n'est pas tout à fait réglé, ce que nous sommes exactement, mais chose certaine, on est plus que des amis.

Maintenant, il me reste à le dire à Colin…

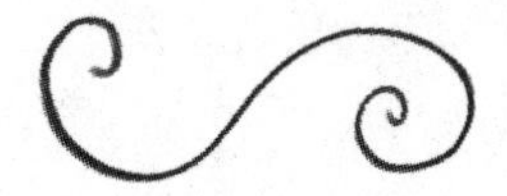

Lundi 5 janvier

~ 20 h 57 ~

J'ai essayé d'en parler à Colin aujourd'hui, je te le jure ! Mais je ne sais pas, c'est comme si quelque chose m'en avait empêchée.

Demain, on recommence l'école. Peut-être que je trouverai un moment pour lui annoncer…

Mardi 6 janvier

~ 16 h 35 ~

Pfff…

La conseillère en orientation, elle est total poche ! Comme prévu, je suis allée la voir pendant ma pause du dîner et elle m'a quasiment virée de bord !

Bon, ce n'est pas tout à fait ce qui s'est passé, mais c'est tout comme ! Dès que je suis entrée dans son bureau, elle m'a souri et elle a sorti une feuille où elle a inscrit mon nom. Puis, elle m'a demandé si je savais à quel cégep je voulais aller l'an prochain, sauf que, puisque je ne suis qu'en secondaire trois, je ne suis pas du tout en train de terminer mon secondaire !

Elle a froncé les sourcils quand je le lui ai dit, avant de secouer la tête et de ranger sa feuille. Finalement, elle m'a dit qu'elle n'avait pas vraiment de temps à m'accorder, car elle se concentre sur les élèves qui sont en dernière année et qui doivent faire leur choix pour le cégep. Et à moins de vouloir

faire un DEP, elle ne pouvait pas me voir plus longtemps ! De revenir dans genre deux ans !!

Méga poche, comme je le disais, cette conseillère en orientation ! Pourquoi je n'aurais pas le droit d'être orientée, même si je ne suis qu'en secondaire trois ?! Hein ??? J'ai autant le droit qu'un secondaire cinq d'être toute mêlée !

Comme j'avais sûrement l'air ultra déçue, elle a fini par me prêter un livret avec des options sur les différents programmes du cégep (qu'elle en revienne, avec son cégep !), en me faisant promettre de le lui ramener bientôt.

Cream puff ! Ce n'est pas demain la veille que je saurai ce que je veux faire plus tard…

Ah, et en passant, j'étais trop fâchée pour aller voir Colin et lui dire que je sors à moitié avec Florian. Je n'étais pas dans un bon état pour gérer sa réaction. Je verrai comment je me porte demain. Ce soir, je recommence mes entraînements de tennis (j'ai eu droit à une pause durant les vacances de Noël).

Je dois aller me préparer parce que papa ne veut pas aller me reconduire et je dois prendre l'autobus. Il dit qu'il a quelques coups de fil importants à donner. Je ne vois pas à qui il doit tant téléphoner ! Il est prof de gym, pas avocat !

~ 21 h 43 ~

Mon père parle encore au téléphone… Depuis quand il jase aussi longtemps avec quelqu'un ? C'est louche… J'essaie de comprendre ce qu'il raconte, mais il est dans le salon et moi, je suis dans ma chambre et je n'entends pas très bien. Je pourrais me rapprocher, mais le plancher craque et je me ferais repérer en moins de deux.

En plus, Anto m'a dit de m'occuper de mes affaires, quand je lui en ai fait la remarque. Il trouve que je me mêle toujours de ce qui ne me regarde pas. Il a dit ça en passant devant ma chambre, alors que je me tenais dans le cadre de porte. Il n'est pas gêné de me parler comme ça ! J'ai bien le droit de savoir à qui mon père parle, non ?!

Je dois t'avouer quelque chose, cher journal… Si je me pose tant de questions, c'est parce que je pense que mon père s'est inscrit sur un site de rencontres… pour célibataires ! Je le soupçonne de tenter de trouver l'amour à son tour. Il doit se dire que ma mère est définitivement casée et que, lui aussi, il peut essayer de se chercher quelqu'un…

Sauf que je ne VEUX PAS que mon père ait une blonde ! Ma mère, passe encore, mais PAS mon père ! OK, tu vas dire que je suis sans cœur et que si ma mère le peut, mon père aussi… Mais ce n'est pas du tout la même chose. Ma mère habite à New York ! Alors que mon père, je vis AVEC ! Donc, s'il se fait une blonde, elle va peut-être venir habiter avec nous !!!

NON MONSIEUR ! Je suis la SEULE fille dans cette maison, point final !

Je ne suis pas prête à céder ma place à une autre.

Regarde-moi bien aller, cher journal. Je te promets que papa va abandonner rapidement cette idée…

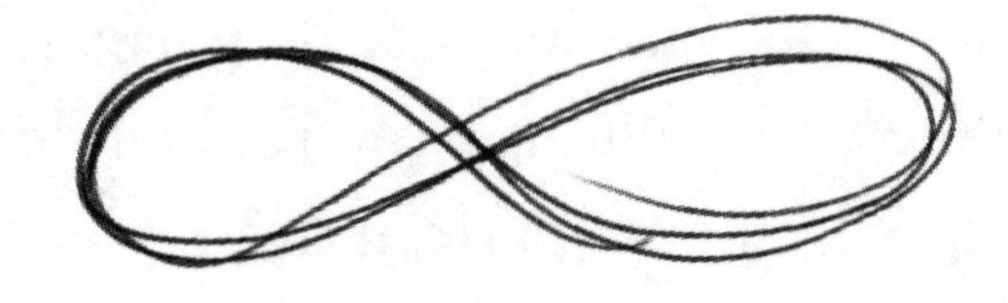

Jeudi 8 janvier

~ 7 h 29 ~

C'est pire que je ne le craignais…

Papa a un rendez-vous demain soir. Il nous l'a annoncé, pendant que je prenais tranquillement mon déjeuner, sans me douter de la bombe qu'il allait nous lancer, à mes frères et à moi.

Je n'ai pas le temps de t'en dire plus pour le moment, parce qu'il me crie après pour que je me dépêche si je ne veux pas manquer mon autobus. Je vais essayer d'en savoir davantage avant la fin de la journée…

~ 17 h 11 ~

Toujours aucune info pour le moment. Je travaille le dossier… Et évidemment, je n'ai pas eu le temps de penser à ce que je dois avouer à Colin. J'ai, disons, d'autres chats à fouetter !

Je ne sais pas à quelle heure papa doit partir pour son rendez-vous, mais j'en déduis qu'il ne compte pas nous préparer à souper, car il n'a rien sorti encore… J'espère qu'il ne va pas commencer à se désintéresser de nous au profit de sa nouvelle blonde ! Je me doutais que ça virerait tout croche, cette histoire !

~ 17 h 13 ~

Je la déteste déjà…

~ 18 h 01 ~

Papa s'apprête à partir. Sans rien nous donner à manger ! *Cream puff !* C'est total inhumain !

~ 18 h 14 ~

Ouf… il a commandé de la pizza et il nous a laissé de l'argent pour la payer. Je commençais grave à paniquer, quand papa est sorti. Anto, qui était au téléphone (encore !) avec sa blonde, m'a vue qui courais dans tous les sens et m'a fait signe d'attendre deux minutes qu'il raccroche. Puis, il m'a expliqué que papa avait commandé à manger il y a une bonne demi-heure et que ça ne devrait plus tarder à arriver.

N'empêche... papa nous fait carrément passer en deuxième, depuis que cette femme est dans sa vie !

~ 19 h 06 ~

Miam... c'est juste troooop bon de la pizza extra viande avec du fromage dans la croûte. Ah, et puis je vais m'en chercher un autre morceau !

~ 20 h 47 ~

Papa n'est toujours pas revenu. Et j'ai le ventre tellement gonflé qu'on dirait qu'il va éclater. Je n'aurais pas dû manger autant de pointes de pizza. C'est mon coach de tennis qui ne sera pas content...

Pour passer le temps, je vais écrire un message à Florian, pour savoir comment il va. On ne s'est pas donné de nouvelles depuis son départ, dimanche dernier. Je pensais quand même qu'il allait m'écrire, s'il n'avait pas le temps de m'appeler ou de me parler sur Skype. *Cream puff*, c'est à croire qu'il se fiche de moi ! Je vais lui donner de mes nouvelles et il va comprendre que ce n'est pas comme ça qu'on doit traiter sa blonde !

À : FlorianFleming@mail.com
De : Dydy2000@mail.com
Date : Jeudi 8 janvier, 20 h 59
Objet : Quatre jours déjà...

Salut toi, **hello you !**

Comme tu vois, je pratique le bilinguisme.

I practice the bilingualism !

Ben non, c'est une blague, tu vas devoir me lire en français, mon cher, car je suis bien meilleure que toi dans ta langue natale. Tandis que toi, tu as bien du travail à faire pour parler français parfaitement !

Sérieux, je voulais surtout savoir comment tu allais... Ça fait quand même QUATRE jours que vous êtes partis. Disons que j'espérais avoir des nouvelles de toi un peu plus tôt. Ce n'est pas que je sois si dépendante que ça quand je sors avec un gars, c'est plutôt que je vois ça comme une marque de respect, genre... De donner des nouvelles... Et toi, ben, tu n'en as pas donné... des nouvelles !

Tu dois être pas mal occupé...

De mon côté aussi, c'est un peu fou, avec le retour en classe, mes entraînements de tennis, Mira et la nouvelle blonde de mon père. Ah ! Je ne t'en avais pas parlé ? C'est peut-être parce que... TU NE M'AS PAS DONNÉ DE NOUVELLES DEPUIS DIMANCHE !!! Bon, j'en reviens à mon père. Oui, il sort avec une femme. Ce soir, en tout cas. On ne la connaît pas du tout. J'espère qu'elle sera aussi gentille que ton père, parce qu'avoir une belle-mère ne me fait pas triper du tout, je l'avoue.

Comment tu vis ça, toi, avec ma mère ? Il faut dire que maman est total cool, alors c'est différent. Peut-être que la blonde de mon père va être hyper Germaine et qu'elle va se mettre à nous donner des règles poches qu'on devra suivre dans notre propre maison...

Bref, je te donnerai DES NOUVELLES (MOI !) sous peu. Mon père ne devrait plus tarder à rentrer. Tu penses qu'il pourrait décider de coucher chez cette femme ?!? Sans même nous avertir ??? Wow, il est vraiment devenu trop insouciant, mon père ! Il va falloir que nous ayons une bonne conversation, lui et moi. Entre quatre yeux, comme on dit. Quoique toi, tu ne dois pas dire ça, parce que je ne sais même pas si c'est une expression qui existe chez les Britanniques...

Alors voilà pour moi...

C'est à ton tour, maintenant, de me donner de tes nouvelles. Je les attends vraiment avec impatience, tu sais. Et je te donne même un bisou !

Dylane

Ta demi-blonde

XXX

Voilà qui devrait faire la job. Si, après ça, il ne m'écrit pas, ça voudra dire qu'il se fiche bien de moi et je passerai de demi-blonde à pas de blonde pantoute !

~ 22 h 38 ~

Papa est revenu ! Je l'entends enlever son manteau et ses bottes dans le portique. Je vais le voir ou non ? Ah et puis j'y vais ! Advienne que pourra !

~ 22 h 41 ~

Papa m'a ORDONNÉ de retourner me coucher. Il a dit que je n'avais rien à faire debout à cette heure. Sa mauvaise humeur m'a fait plaisir…

Parce que ça veut dire que sa soirée avec ma belle-mère a mal été ! Que je suis contente !! Étant donné que Florian ne m'a même pas répondu, ça me fera au moins UNE bonne nouvelle dans ma journée…

Samedi 10 janvier

~ 18 h 43 ~

Toujours aucune nouvelle de Florian… Pour me venger, je vais passer la soirée avec Colin. On a prévu d'aller prendre un chocolat chaud à la guimauve au resto du coin, et ensuite d'aller voir un film d'horreur au cinéma.

Je suis tellement en colère contre Florian que je n'ai plus du tout le goût de dire à Colin quoi que ce soit. De toute façon, je me rends bien compte que ça ne voulait rien dire, sinon il m'aurait donné de ses nouvelles ! *Cream puff*, est-ce que j'ai l'air d'une fille qu'on ignore aussi longtemps ?!

~ 22 h 10 ~

Je me suis gavée de chocolat, de réglisses noires et de sloche. (Ils en vendent TOUTE l'année, au cinéma, de la sloche, alors c'est le bonheur total !!) Le film était bon, mais pas assez sanglant. J'aime ça quand c'est tellement dégueu que ça me coupe l'appétit.

J'ai failli aborder la question de Florian avec Colin, mais je me suis retenue juste à temps. Je ne sais pas pourquoi, d'ailleurs. Il va bien falloir que je lui en parle à un moment donné. En plus, s'il est vraiment « seulement » mon ami, j'imagine qu'il va être content de savoir que j'ai un *chum*. Justement, durant la soirée, Colin m'a reparlé de Mira et m'a expliqué pourquoi ça n'a pas fonctionné entre elle et lui.

Il croit que c'est parce que Mira n'est pas son genre, finalement. Ils n'ont rien en commun, elle n'est pas sportive du tout et son apparence est super importante pour elle. J'ai répliqué que c'était justement ce qui lui plaisait, au début, et ça l'a fait réfléchir. Il a bien été obligé d'avouer qu'il aimait ça, une fille hyper féminine. (Ce que je ne suis pas DU TOUT !)

Mais après, il a aussi ajouté qu'une fille qui se maquille et qui s'habille bien, ça attire l'œil, c'est sûr, mais que ça ne dure jamais longtemps. C'est mieux d'apprendre à connaître l'autre et ensuite de le trouver attirant.

Je lui ai répondu que je n'étais pas tellement féminine, moi, et que je me demande toujours si ça déplaît aux garçons. Il a souri en me disant que j'étais bien plus féminine que je pouvais le penser. C'est juste que je ne m'en rends pas compte. Comme je réclamais des exemples, il a cité le fait que je prends soin de ma santé en faisant du sport. Que je sens toujours bon (je ne vois pas le rapport, par contre) et que je souris tout le temps (et alors ?).

Si c'est ça, sa définition de la féminité, je veux bien le croire, mais il me semble que, pour être féminine, il faut se maquiller, porter des vêtements à la mode et être du genre à faire attention de ne pas se casser un ongle… Je vais demander à Fred ce qu'il en pense.

~ 22 h 12 ~

Fred pense la même chose que Colin. Sauf que lui, il me l'a dit en étant à moitié endormi. Il était déjà couché dans son lit, la lumière fermée, et il a grogné une phrase ou deux, quand je lui ai chuchoté ma question. Je lui en reparlerai demain, car je crois qu'il m'a répondu n'importe quoi pour que je le laisse tranquille…

~ 22 h 38 ~

Je ne sais pas ce que j'ai, mais une de mes dents me fait super mal. Je vais aller me passer la soie dentaire. Je dois avoir un morceau de réglisse encore coincé…

~ 22 h 43 ~

Ma dent me fait encore mal… Et je n'avais rien de coincé. *Cream puff*, j'espère que je n'ai pas une carie. Je déteste aller chez le dentiste pour un nettoyage, alors imagine un peu si je dois subir un plombage !

Dimanche 11 janvier

~ 11 h 49 ~

J'ai encore mal à la dent… J'ai si mal, en fait, que ça m'a empêchée de déjeuner. Et je ne sais pas comment je vais faire pour dîner.

~ 12 h 34 ~

Papa dit qu'il va prendre rendez-vous pour moi chez le dentiste cette semaine. Ça y est, je commence à stresser…

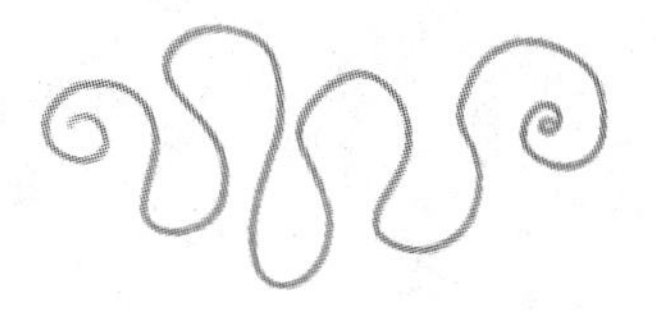

Lundi 12 janvier

~ 17 h 51 ~

Papa a réussi à obtenir un rendez-vous pour moi demain. Comment a-t-il pu en avoir un aussi vite ?! Je ne suis pas prête psychologiquement pour ça. Mais papa n'a rien voulu savoir et il a dit que je ne peux pas me nourrir d'air pur et d'eau seulement. On a fini par se disputer, mais, comme toujours, c'est lui qui a eu le dernier mot :

Papa : Ne fais pas l'enfant, Dylane, le dentiste pourra soigner ta dent. Ne me dis pas que tu as encore peur d'aller là-bas ! Tu n'as plus cinq ans, quand même !

Moi : L'âge n'a rien à voir là-dedans, tu sauras. On peut avoir une phobie toute sa vie. Et moi, j'ai la phobie du dentiste. Je ne sais pas comment tu vas faire pour me traîner là-bas de force, parce que je ne pense pas pouvoir m'y rendre, tu sais...

Papa : Je te ferai croire qu'on s'en va chercher un chocolat chaud à la guimauve, au resto du coin.

Moi : Bravo ! Maintenant il est trop tard ! Je vais connaître ton truc ! Tu n'aurais pas dû me le dire !

Papa : Dylane, arrête de paniquer.

Moi : JE NE PANIQUE PAS !

Papa : Et cesse un peu de crier. La phobie du dentiste, ça n'existe même pas.

Moi : OUI, ça existe ! Et ça s'appelle la dentophobie ! Je le sais, je l'ai lu sur Internet !

Papa : D'accord, alors si ça peut te rassurer, tu ne seras pas obligée d'aller à l'école ce jour-là. Ça te permettra de te reposer après cet événement SI stressant pour toi...

Moi : C'est la moindre des choses !

Papa : Maintenant, tu cesses d'en faire tout un drame et tu viens souper !

Moi : Mais je ne PEUX PAS ! J'ai mal à ma dent !

Papa : Raison de plus pour aller chez le dentiste demain !

Frustrée, je me suis sauvée dans ma chambre et j'ai claqué la porte. Évidemment, papa est venu me voir et m'a demandé de la refermer correctement, ce que j'ai fait en grognant. Maintenant, je suis en punition pour le reste de la soirée, sans pouvoir manger quoi que ce soit. Bon, je n'aurais rien mangé de toute façon parce que j'ai trop mal, mais c'est pour le principe. Mon père est un sans-cœur !

~ 18 h 32 ~

Papa est venu me porter de la crème glacée à la guimauve chocolatée. Ma préférée. Ça, au moins, je peux en manger, car ça me gèle la bouche et je ne sens plus tellement ma dent.

J'ai aussi pris des pilules pour cesser d'avoir aussi mal. Mais on dirait que ça ne fait pas effet du tout. Après ma crème glacée, je vais aller me coucher, peut-être que je vais moins souffrir…

Mardi 13 janvier

~ 3 h 33 ~

Aaaaaah ! Tu as vu l'heure sur mon réveil ! C'est l'heure la plus effrayante de toute la journée, je trouve : 3 h 33… C'est comme le chiffre du démon, dans le dernier film d'horreur que j'ai vu ! Et moi, je viens de me réveiller justement à cette heure-là !

Je me suis endormie tout de suite après avoir réussi à manger la moitié de mon bol de crème glacée. Sauf que je me retrouve à faire de l'insomnie à trois heures du matin ! J'ai rêvé que j'étais une énorme dent noire, toute cariée, et que je me faisais charcuter avec des milliers d'aiguilles. Ça me faisait si mal que je hurlais sans arrêt.

Je viens de me réveiller en sursaut, je suis tout en sueur et j'ai faim ! Mon ventre gargouille. C'est un peu normal, je n'ai presque rien mangé depuis deux jours. Si je ne parviens pas à me rendormir, je vais aller voir ce que je pourrais bien grignoter, malgré cette dent de malheur…

~ 4 h 02 ~

Trop faim. Et impossible de dormir. C'est décidé, je descends me chercher quelque chose à manger.

~ 4 h 37 ~

J'ai opté pour un chocolat chaud à la guimauve. Rien ne me faisait envie à part ça. Je le sirote tranquillement, en attendant que le soleil se lève. Je risque d'attendre longtemps…

~ 7 h 11 ~

OH NON !!! Je me suis endormie avec mon verre de chocolat chaud dans les mains et je l'ai renversé sur mon matelas. Papa va me tuer quand il va voir mon dégât. Vite, je vais aller faire une brassée de lavage !

~ 7 h 19 ~

Papa était debout et il m'a vue… Il n'était pas très content.

~ 8 h 49 ~

On part dans dix minutes pour mon rendez-vous chez le dentiste, papa et moi. Je suis

hyper stressée et mon cœur bat à cent à l'heure. Je sens que je vais m'évanouir.

Papa dit que je ne peux pas m'évanouir si je reste étendue sur mon lit. Il faut que je me force à penser à autre chose. Je veux bien essayer, mais c'est total difficile.

Tiens...? Mon cellulaire vient de biper. J'ai reçu un texto...

Hey! Baby! Comment tu vas?

C'est Florian! Il était temps! Je vais lui demander pourquoi il a pris autant de jours pour me donner des nouvelles.

Tu n'avais qu'à m'appeler, si je te manquais tant que ça !

Come on, Dylane !

Don't be upset.

On est juste à moitié ensemble, **no** ?

En tout cas, Florian a toujours autant le tour de me faire enrager ! « À moitié ensemble » ne veut pas dire qu'on doit se foutre de l'autre à moitié ! J'ai le goût de l'envoyer promener, mais papa vient d'entrer dans ma chambre pour me dire de me préparer. On doit partir.

Avec les textos de Florian, j'en oubliais presque mon rendez-vous. Je ne prends pas le temps de lui répondre et je ferme mon cellulaire. Bien fait pour lui. De toute manière, il n'a pas d'école, le matin, lui ? Je lui réécrirai plus, tard. Là, je dois gérer mon stress…

~ 13 h 04 ~

OMG ! Je capote ! J'ai QUATRE caries !!! Pas une, pas deux, pas trois, mais QUATRE !!! En fait, j'en ai une entre deux dents, alors ça compte pour deux (et c'est celle-là qui me fait mal) et le dentiste pense même que je pourrais avoir besoin d'un traitement de canal…

UN TRAITEMENT DE CANAL !!!

Papa a mentionné que je pourrais me la faire arracher, tout simplement (ME LA FAIRE ARRACHER !!!), mais le dentiste a refusé (ouf) en disant que c'est une dent importante. Surtout si je ne veux pas perdre un peu d'os. (PERDRE DE L'OS !!! JE CAPOTE, même si je ne comprends pas comment je pourrais perdre des os dans ma bouche…)

Bref… je retourne chez le dentiste demain, et après-demain, et encore après-demain ! Trois rendez-vous en UNE semaine ! Pour moi qui souffre de dentophobie, c'est réellement la PIRE semaine de TOUTE ma vie !!!

Oh, mais je ne t'ai pas tout dit, cher journal. Le dentiste a aussi rajouté que mes canines du haut sont un peu trop surélevées. C'est parce que ma bouche est trop petite (d'où la difficulté à bien brosser mes dents ET mes quatre caries). Ce qui veut dire que, selon lui, j'aurais besoin de broches pour corriger ce défaut.

DES BROCHES !!!!!!!!!!

Je ne veux PAS porter de broches !!! Parce que tu sais ce que ça voudrait dire ?!? Je devrais me rendre chez l'orthodontiste tous les mois !

Et comme je me connais, je dois aussi souffrir d'orthodonphobie !

En tout cas, ce matin, le dentiste m'a fait des radiographies et m'a pointé toutes mes caries. C'est la première fois que j'en ai et il m'a dit que c'était peut-être dû à ma technique de brossage qui n'était pas adéquate ou au fait que je mange trop de sucreries. Comme je ne prends pas énormément de desserts, j'ai haussé les épaules, mais c'est à ce moment qu'il a ajouté :

Dentiste : Ça peut aussi être à cause de certains types de boissons.

Moi : De boissons... ?

Dentiste : Comme de la liqueur, du jus de fruits... de la sloche ou du chocolat au lait.

Moi : ... Euh... de la sloche et du chocolat au lait ? Vraiment ? Et si le chocolat est chaud, c'est la même chose ?

Dentiste : Bien sûr ! Le mieux, ce serait d'arrêter d'en boire.

D'ARRÊTER DE BOIRE DE LA SLOCHE OU DU CHOCOLAT CHAUD À LA GUIMAUVE!!! Ma vie est carrément finie si je ne peux plus consommer ces deux boissons-là! Je suis encore dans le déni, je crois, car je ne peux pas accepter ce qui m'arrive!

~ 15 h 28 ~

Je viens de me préparer mon DERNIER chocolat chaud à la guimauve... Je vais en savourer chaque gorgée...

~ 16 h 13 ~

J'ai texté Florian, mais, évidemment, il ne m'a pas répondu. Pas facile de communiquer avec lui à distance. Comme je dois parler à maman, je vais l'appeler sur Skype et j'en profiterai pour lui demander si Florian est là...

~ 17 h 01 ~

J'ai jasé presque quarante minutes avec ma mère à propos de mes prochains rendez-vous chez le dentiste. Je suis d'accord avec elle: il faut que je fasse attention à mes dents. En conclusion, je dois cesser de consommer autant de boissons sucrées. Même si ça me brise le cœur. Maman a promis de m'envoyer des recettes de boissons sans sucre. Elle va faire des recherches sur Internet et elle va me trouver des trucs super bons.

Je doute que quoi que ce soit puisse rivaliser avec de la sloche ou du chocolat chaud à la guimauve…

Ensuite, elle m'a dit qu'elle me trouvait mignonne, même avec mes canines surélevées. Je me suis examinée dans le miroir, aujourd'hui, et je trouve que ça me donne un look « vampire ». Peut-être que j'arriverai à convaincre papa que je n'ai pas besoin de broches, finalement…

Ah, et Florian n'était même pas là ! Il n'avait pas d'école, aujourd'hui, et il a passé la journée avec des amis. Selon moi, ça va prendre encore plus d'une semaine avant qu'il me réécrive… Je ne pourrai pas lui annoncer que je vais peut-être porter des broches. Je dis bien PEUT-ÊTRE ! Parce que je vais vraiment essayer d'en jaser avec papa et de faire valoir mon point de vue : à savoir que je n'en ai pas besoin !

~ 17 h 28 ~

J'ai appelé Mira et elle m'a dit que quelqu'un qui portait des broches, c'était total à la mode, cette année ! Je n'aurais jamais cru ça ! Si elle n'avait pas les dents aussi droites, elle aurait insisté auprès de ses parents pour en porter. Alors elle me trouve chanceuse. C'est le monde à l'envers…

~ 18 h 47 ~

Annabelle était d'un tout autre avis. Elle dit que ce n'est pas du tout bon pour la santé, des broches. Que je me mets du métal dans la bouche et que ça change l'équilibre de ma salive et des tas de trucs dans le genre. Je n'ai pas trop compris toutes les toxines qu'elle m'a nommées qui seraient en contact avec ma bouche. C'était plutôt inquiétant…

Elle croit aussi que se faire arracher des dents, c'est désaligner ses chakras. Sauf que je ne dois pas m'en faire enlever, il me semble. Alors Anna a rajouté que, si je dois porter des broches, c'est presque certain que l'orthodontiste devra m'en enlever. Si je veux avoir un peu plus de place dans ma bouche, il n'a pas le choix.

Je n'avais pas du tout vu ça comme ça… JE CAPOTE SI JE DOIS M'EN FAIRE ENLEVER !!!

~ 19 h 05 ~

Comme toujours, Colin était indifférent à la chose. Il dit qu'avec ou sans broches, je vais rester la même et que ça ne fera pas de différence. C'est bien un gars de ne penser qu'à lui ! Il oublie que je dois maintenant cesser de boire des boissons sucrées. Et que ce sera super difficile pour moi ! Alors il est hors de question qu'il en prenne devant moi. Il va devoir m'encourager en arrêtant d'en prendre, lui aussi !

Il n'a pas aimé que je lui dise un truc pareil et il a ronchonné un moment avant d'ajouter qu'il avait des devoirs à faire et qu'il devait raccrocher.

J'ai le goût de me préparer un autre chocolat chaud à la guimauve…

Le dernier dernier, cette fois…

Mercredi 14 janvier

~ 16 h 12 ~

Après mon rendez-vous de ce matin, j'ai été OBLIGÉE de retourner en classe. Papa a dit que je ne pouvais pas manquer toute la semaine, sous prétexte que j'avais quelques caries ! Total insensible !

En tout cas, aujourd'hui, le dentiste en a réparé deux. Finalement, je n'ai pas eu de traitement de canal. Mais je dois tout de même y retourner deux autres fois…

Et ça fait SUPER mal ! Bon, j'exagère, on ne sent presque rien, une fois qu'on est bien gelé, mais le dentiste avait négligé de me dire que, pour que l'anesthésie fonctionne correctement, je ne devais pas avoir l'estomac vide. Sauf que, puisque je ne peux presque rien manger à cause de la douleur, il a dû me piquer plusieurs fois avec son ÉNORME aiguille pour que ça marche ! L'HORREUR ! J'ai failli m'évanouir en voyant la longueur et la largeur de ce monstre !!

Papa, qui n'est même pas resté dans la salle d'attente et qui m'a juste dit de revenir à l'école dès que ce serait terminé, ne m'a PAS CRUE ! Il a dit que j'exagérais encore et que le dentiste l'aurait appelé si une telle chose était arrivée.

Papa ne comprend RIEN ! À mon retour de l'école, j'ai voulu écrire à Florian, mon demi-*chum*, pour lui raconter le calvaire de ma journée, sauf que je n'avais toujours reçu aucun courriel de sa part. Bon, au moins, il m'a envoyé un petit texto hier soir. Il me disait juste que ma mère lui avait parlé de mes futures broches et qu'il est certain que je serai super *cute* avec ça dans la bouche. Il était mieux de dire ça, lui !

Bref, j'ai décidé de ne rien lui raconter du tout. S'il veut des nouvelles de moi, il n'a qu'à m'écrire ou m'appeler !

//////////////////

Jeudi 15 janvier

~ 19 h 54 ~

Mon rendez-vous d'aujourd'hui avait lieu en fin de journée, après les cours, alors je suis allée à l'école ce matin, comme d'habitude. Il me semble que j'aurais pu en être dispensée… Je passe des journées infernales, à cause du stress que je subis.

Mais bon, voilà une autre dent de réparée. Il ne me reste que le rendez-vous de demain, pour la réparation de ma dernière dent cariée. Je rencontrerai aussi l'orthodontiste, qui a un bureau dans la même clinique que mon dentiste, mais qui n'est là qu'une journée toutes les deux semaines. Est-ce nécessaire de te mentionner que ça ne me tente pas du tout ?! Imagine si je dois porter un appareil affreux qui m'empêche de parler !

Chose certaine, toute cette histoire m'a convaincue de mieux me brosser les dents, à l'avenir…

~ 20 h 36 ~

Il fait tellement froid, dehors, que les planchers de notre maison sont glacés. Je me serais bien préparé un chocolat chaud à la guimauve pour me réchauffer. Mais pas moyen… Je dois rester forte dans l'adversité et ne pas en boire. Même si c'est difficile.

~ 20 h 47 ~

De plus en plus difficile…

~ 21 h 01 ~

Carrément atroce ! Je vais aller me coucher, peut-être que l'envie va me passer…

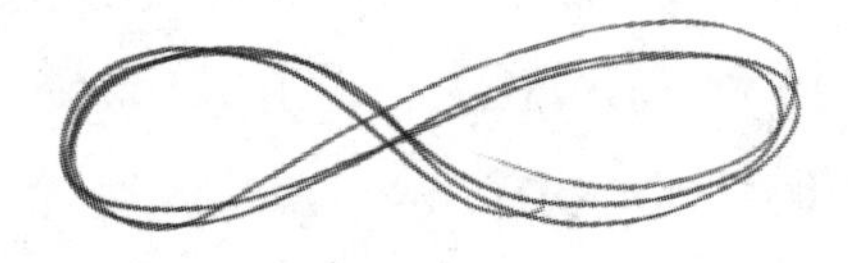

Vendredi 16 janvier

~ 7 h 16 ~

Je suis contente parce qu'Annabelle m'a invitée à aller chez elle en fin de journée, après mon rendez-vous chez le dentiste. Hier, je lui ai parlé de mon histoire avec Florian et elle n'en revenait pas que j'aie réussi à garder le secret durant les deux dernières semaines. Elle a dit que j'étais une fille très secrète.

Je ne sais pas si je suis secrète, mais c'est vrai que je n'ai pas tendance à me confier constamment. C'est parce que tu existes, cher journal. Ça me permet de tout te dire, à toi, et de ne pas ressentir le besoin de raconter mes problèmes aux autres.

Donc, elle veut que je lui dévoile les détails de cette histoire et elle a promis de ne rien répéter à qui que ce soit. Surtout pas à Mira ou à Colin. Ce qui serait plutôt surprenant, de toute manière, étant donné que ma cousine et Anna ne s'entendent pas très bien. En fait, si je ne suis pas là, elles ne se parlent carrément pas ! Elles n'ont pas du tout les mêmes goûts et le seul lien qui les unit, c'est moi.

Pour Colin, c'est surtout qu'il a tendance à passer ses dîners au gym et donc, c'est rare que lui et Annabelle se croisent. Mais je crois qu'ils pourraient devenir de bons amis. Les deux aiment rire et s'amuser. Évidemment, Colin est beaucoup plus sportif qu'Anna, mais, comme elle prend soin de sa santé, les deux se rejoignent sur ce point, j'imagine.

~ 21 h 02 ~

Il fallait que je te raconte un potin, avant d'aller me coucher…

Je viens de revenir de chez Annabelle. Comme je lui ai confié un secret, aujourd'hui, elle a dit qu'elle aussi, elle aimerait m'en dire un. C'est quelque chose qu'elle a sur le cœur depuis un moment, déjà. Sérieux, je n'avais AUCUNE idée de ce que ça pouvait être ! Mais quand elle a commencé à tout me raconter, je me suis demandé comment j'avais pu ne PAS voir les signes…

Annabelle est en amour avec quelqu'un ! Et pas n'importe qui !! AVEC MALIK !!! Oui, oui, MON MALIK !!!!!!

OK, ce n'est pas MON Malik, puisque nous ne sortons plus ensemble depuis un bon bout de temps. Mais il l'a déjà été, par contre !

Je ne savais pas quoi lui répondre, alors je l'ai plutôt laissée me parler de ses sentiments. Mais, à la fin, elle a voulu savoir si je croyais qu'elle avait des chances avec lui. J'aurais aimé être objective, mais tu me connais, cher journal, c'était impossible pour moi. Pourquoi n'a-t-elle pas un *kick* sur mon frère Sébas, à la place ? Lui, il serait super intéressé, en plus ! D'un autre côté, j'aurais dû m'en douter. Souvent, elle rougit quand Malik passe près de nous et qu'il nous jette un coup d'œil. Et dès que je parle de lui, elle m'écoute avec attention et elle me pose des questions à son sujet. Je pensais simplement qu'elle s'intéressait à ce que je lui racontais. Mais non… elle avait une motivation secrète !

Bref, Anna est en amour avec Malik. Et elle m'a demandé si je voulais l'aider… Je lui ai rappelé que Malik m'avait donné des billets de spectacle pour aller voir Martin Matte. Elle a eu l'air triste et j'ai aussitôt tenté de la consoler. Après tout, ça ne veut pas dire non plus que Malik voudrait ressortir avec moi ! Mais si je redeviens amie avec lui, je pourrais subtilement lui montrer à quel point Annabelle est une fille fantastique…

~ 21 h 26 ~

J'ai oublié de te dire : je me fais installer des broches dans deux semaines, soit le 30 janvier prochain. Et pire que tout : je dois me faire arracher QUATRE prémolaires !!!

J'ai tellement peur…

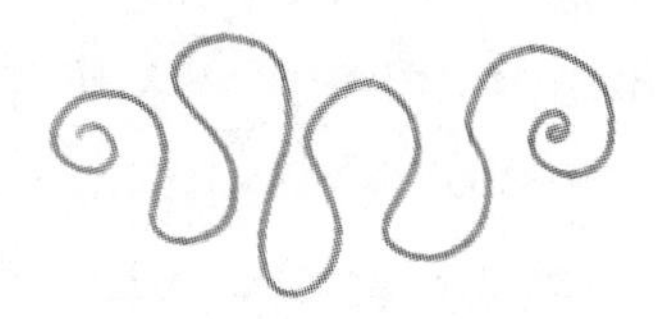

Samedi 17 janvier

~ 17 h 13 ~

Enfin ! Florian m'a appelée !! Il était temps !!!

On s'est parlé sur Skype et il m'a bien fait rire en me racontant qu'il venait de s'inscrire à des cours de chant. Je ne savais même pas que mon *chum* (OK, demi-*chum*) avait une belle voix ! Ce sont des cours de groupe. Florian préférerait avoir un prof privé, sauf que son père trouve que ça coûte trop cher et qu'ils n'en ont pas les moyens. En tout cas, pas pour le moment. Si Florian aime vraiment ça, il lui en paiera peut-être pour son anniversaire, en avril prochain (et je ne savais pas non plus que sa fête était en avril !).

Il y a tellement de choses que je ne sais pas sur Florian… Il paraît que c'est bon, dans un couple, de garder un peu de mystère. Moi je pense plutôt que c'est épuisant de toujours apprendre quelque chose de différent sur l'autre. On ne peut pas se reposer, on doit toujours être sur le qui-vive. C'est étourdissant !

Donc, Florian chante. Il aimerait chanter dans un groupe, mais, pour le moment, il veut surtout perfectionner ses techniques. Je le vois très bien devenir chanteur populaire. Il est beau et il a du charme, je trouve. Seul bémol: les filles lui courraient après et j'aurais constamment peur de me le faire voler. Je ne suis pas SI jalouse que ça, dans la réalité, mais disons que, dans ce contexte particulier, où des tas de groupies sont sans arrêt après ton *chum*, ça change un peu la donne…

Papa m'appelle pour le souper. Je crois que je vais enfin me décider à lui annoncer que je demi-sors avec Florian. On verra bien sa réaction…

~ 18 h 35 ~

Évidemment, TOUT le monde s'en doutait! Pfff… N'importe quoi! Ils ne se doutaient de rien pantoute! Je suis certaine qu'ils ont dit ça juste pour ne pas avoir l'air « en retard »!

Comme j'étais fru contre Sébas parce que c'est lui qui a parti le bal en lançant très fort qu'ils attendaient juste que je me décide à le leur dire, je lui ai aussi balancé une vacherie… Bon, pas très grave, mais quand même pas très gentille. *Anyway*, qu'il soit désormais au courant qu'Annabelle a un *kick* sur Malik n'est pas un drame non plus. Il l'aurait su un jour ou l'autre.

Sauf que là, il n'est vraaaaiment pas content. Il est parti sans terminer son repas, les joues rouges et le regard mauvais. Qu'il en revienne ! Anna n'est pas la seule fille de l'école. C'est seulement la SEULE qui lui dit non…

Papa m'a dit que j'aurais pu avoir plus de tact. Là, je dois aller m'excuser à Sébas. Franchement !

~ 18 h 49 ~

Je pense qu'il pleurait ! Je n'avais jamais vu Sébas dans cet état ! Il était étendu sur son lit, sur le ventre, et il avait la tête enfouie dans son oreiller. Quand je suis entrée sans frapper, il s'est tourné vers moi pour me crier dessus et j'ai remarqué qu'il avait les yeux rouges…

Oh là là, c'était plus sérieux que je ne le pensais, cette fixation sur Anna. Peut-être que je devrais vraiment m'excuser. Je vais retourner voir Sébas...

~ 18 h 52 ~

Il m'a encore une fois gueulé dessus. Il m'a dit de me mêler de mes (bip bip) d'affaires ! Avec des gros mots toutes les deux secondes ! Si papa apprend ça, il ne sera pas content…

~ 19 h 01 ~

Papa vient de punir Sébas et il m'a aussi punie pour avoir colporté ! *Cream puff*, je tente de l'aider à avoir de l'autorité, dans cette maison, et c'est tout ce que je récolte !

~ 19 h 15 ~

Parfois, j'ai l'impression que les parents, ça ne sert qu'à nous punir.

~ 19 h 17 ~

Je retire mes paroles. MON père, il n'est là que pour ME punir !

~ 19 h 46 ~

OK, c'est vrai… Je n'aurais pas dû aller rapporter les gros mots de Sébas à papa… Fred est venu me voir pour me dire ce qu'il en pensait. Il croit qu'entre frères et sœurs, on doit se soutenir un peu. Et à moins que Sébas ne me fasse mal, je ne dois pas passer mon temps à tout colporter à notre père.

N'empêche, je n'aime pas me faire crier dessus.

~ 20 h 13 ~

Sébas est venu s'excuser. Et moi aussi. Là, on essaie de convaincre papa de nous laisser sortir de notre chambre.

~ 20 h 19 ~

Cream puff! Papa ne veut toujours pas ! Il est tellement buté ! Il n'y a même plus de chicane entre Sébas et moi. C'est fou comme notre père vit dans le passé, parfois !

~ 20 h 23 ~

Bon ben, il n'y a rien à faire, on dirait…

Étant donné que papa ne veut rien entendre, je dois rester dans ma chambre jusqu'à neuf heures. J'ai seulement le droit d'en sortir pour aller aux toilettes. C'est plate, parce qu'il y avait justement un bon film qui passait ce soir à la télévision et il commençait à huit heures. Sauf que je vais en manquer la moitié !

~ 20 h 47 ~

Pas le choix… C'est troooop long ! Je crois que je vais essayer de trouver des idées de nouvelles boissons que je pourrais boire, à l'avenir.

Comme je dois éliminer le chocolat chaud à la guimauve ET la sloche à la framboise bleue, il me faut absolument autre chose à boire.

Je vais donc effectuer des petites recherches sur l'ordinateur pour trouver quoi boire, maintenant. Je sens que la soirée va être longue…

~ 23 h 48 ~

Je suis É-PUI-SÉE… Il faut que je me couche, je n'en peux plus ! En plus, je n'ai quasiment rien trouvé d'intéressant ou qui semble bon. Je vais devoir faire de nouvelles recherches demain. Surtout que, dès lundi, c'est officiel, j'arrête toutes les boissons sucrées. OK, je l'avoue, j'ai un tout petit peu triché, cette semaine…

Je ne te l'ai pas toujours dit, cher journal, mais il m'est arrivé à plus d'une reprise de me préparer un chocolat chaud à la guimauve. Et de le boire au complet ! C'est que c'est SI difficile de cesser complètement !

Bref, il paraît que c'est plus facile de commencer un régime un lundi. C'est Mira qui m'a donné ce truc. Elle croit (pour une raison que je ne saisis pas trop) que, si on se met à la diète en début de semaine, on a plus de chance de poursuivre ce mode de vie à long terme. C'est le même principe que de prendre des résolutions un 1er janvier, au fond. Perso, je trouve que des résolutions de début d'année, ça ne marche jamais très longtemps. La preuve : j'ai déjà abandonné presque toutes les miennes (même si je ne suis pas très fière de moi…). Je n'ai même pas été capable d'écrire dans mon journal tous les jours !

En tout cas, on verra bien si ça fonctionne, cette diète forcée. C'est que je suis une vraie bibitte à sucre, comme tu le sais ! J'ai d'ailleurs déjà fait un test pour savoir si j'étais plus SUCRE ou plus SEL. Je te laisse deviner le résultat. Je pense même que j'ai encore ce test quelque part sur mon bureau. Je le cherche et te le montre.

Test

Sucrée ou salée?

Certaines personnes ne peuvent absolument pas se passer de dessert. On dit d'elles qu'elles ont la dent sucrée. D'autres, par contre, préfèrent mettre la main dans un sac de chips en fin de soirée ou grignoter des craquelins à toute heure de la journée. Et pour toi, à quoi ressemble LA gâterie parfaite? Amuse-toi à faire le test suivant pour savoir si tu es plutôt sucrée ou salée…

1. Au dépanneur, tu choisis…?

A) Miam! Le comptoir à bonbons te semble tout désigné… À moins que tu ne prennes une barre de chocolat!

B) Un bon sac de chips (jumbo) pour passer la soirée. Ah, et tant qu'à y être, aussi bien en prendre un second pour demain, après-demain, et après…

2. Lorsque vient le temps de finir ton repas…

A) Pas question de terminer cette énorme assiette. Tu dois absolument te laisser une petite place pour le dessert. Surtout que le gâteau qui t'attend sur le comptoir te fait de l'œil depuis le début de l'après-midi…

B) C'est si bon! Tu en reprendrais une autre portion si tu le pouvais. Mais ton

ventre va éclater. Qu'à cela ne tienne, il te reste encore une petite place pour quelques bouchées…

3. Pour déjeuner…

A) Tu ne commences jamais une journée sans tes céréales préférées. Auxquelles tu ajoutes une grosse cuillère de sucre, évidemment !

B) Le beurre d'arachide est ton meilleur ami quand tu te lèves. Tu en étends généreusement sur tes rôties. Voilà de quoi te remettre en forme pour la journée !

4. Une petite baisse d'énergie ?

A) Pour y remédier, tu vas te chercher une bonne sloche ! À moins qu'une limonade ne fasse l'affaire ? Ou mieux encore : du lait au chocolat !

B) Avant de t'endormir sur ton pupitre, il te faut grignoter un petit quelque chose. Des graines de tournesol salées seront idéales !

5. C'est décidé, tu apprends à cuisiner ! Ton premier repas sera… ?

A) Quel beau livre de recettes de desserts ! Que choisiras-tu ? Un gâteau Reine Élisabeth, un sorbet aux fruits ou une ganache au chocolat ? Pas facile de trancher. Tes papilles gustatives sont déjà au garde-à-vous !

B) Un bon rôti, une entrée de tapas ou carrément une omelette jambon-fromage ? Dur de choisir. Et avec ton ventre qui gargouille, il est plus que temps que tu manges…

***Comment calculer ton pointage :** Compte le nombre de A et de B que tu as encerclés, puis réfère-toi aux résultats ci-après pour en savoir un peu plus sur tes préférences alimentaires.

RÉSULTATS :

Plus de A :

Oh là là ! Tu es une vraie dent sucrée, toi ! Aucun doute possible, tu ressens un besoin presque viscéral de manger un dessert à chaque repas. Sans cela, tu sens qu'il te manque quelque chose. Tu as la main lourde quand vient le temps de rajouter du sucre dans tes céréales. Rien ne te semble meilleur qu'un bon chocolat chaud à la guimauve, saupoudré de cacao. Miam ! Mais fais tout de même attention aux caries ! Et limite un peu ta consommation de sucre, sinon tu risques de te retrouver un jour avec un tour de taille plus grand que tu ne le croyais ! Le sucre est bon au goût, mais un peu moins pour ta santé. Remplace-le par du miel ou du sirop d'érable. Ces sucres naturels auront moins d'incidence sur ta glycémie. Mais si une petite portion de gâteau te fait plaisir, offre-toi ce luxe sans hésiter. L'important, c'est surtout la modération...

Plus de B :

Frites ensevelies sous le sel, craquelins de toutes sortes et noix ultra salées... Pour toi, la salière est ta meilleure amie, on dirait ! Lorsque tu vois un gâteau, tu fais la grimace. Ce qui te rend réellement heureuse, c'est de mettre la main dans un sac de croustilles, rien de moins ! Tu es même convaincue que le sel fait partie d'un des quatre groupes alimentaires. C'est tout dire ! Fais quand même attention, car le sel a tendance à boucher les artères au fil du temps. Et une pierre aux reins, causée par un surplus de sel, peut être incroyablement douloureuse. C'est aujourd'hui que tu dois prendre de bonnes habitudes. Un peu de sel n'a jamais tué personne, c'est l'exagération qui est responsable des maladies... Tu peux continuer à saler tes frites, mais n'en rajoute pas deux, trois ou quatre fois !

Lundi 19 janvier

~ 7 h 08 ~

Bon… alors c'est aujourd'hui LA première vraie journée de mon abstinence sucrée. Exit les chocolats chauds, les sloches et autres boissons si douces à mon cœur… Je suis peut-être légèrement excessive, mais c'est comme ça que je me sens : privée de la moitié de mon être.

Je te laisse, cher journal, je dois me préparer pour l'école. Et déprimer aussi un petit peu…

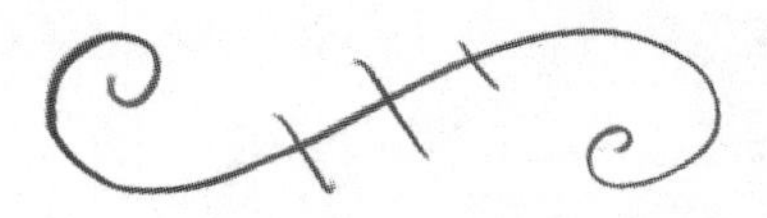

Mardi 20 janvier

~ 7 h 13 ~

Mira m'a dit qu'elle aussi, elle allait se priver de boissons sucrées. Au moins, je vais me sentir épaulée. Et comme Annabelle n'en boit pas non plus (elle avale tout le temps ce truc vert un peu dégueu, qui a une drôle d'odeur, faut que je pense à lui demander ce que c'est), on sera trois à s'abstenir. Mais je pense quand même que c'est moi qui vais en souffrir le plus.

Hier, après mon entraînement, mon coach m'a tendu une bouteille de Gatorade et j'ai dû la refuser… Bon, c'est certain que je n'ai jamais tripé là-dessus non plus, mais ça m'aidait à rester hydratée après un exercice physique intense. Je me suis contentée de boire de l'eau.

Il paraît que ça prend au moins DEUX semaines avant de se désintoxiquer du sucre dans notre organisme. Je sens que les quatorze prochains jours seront les PIRES de ma vie !!!

~ 16 h 24 ~

Te souviens-tu, cher journal, du rendez-vous que papa a eu il y a presque deux semaines ? Eh bien, j'ai fait mes petites recherches sur le dossier. OK, dans les faits, étant donné que papa n'en a plus reparlé, j'avais un peu oublié cette histoire… Mais aujourd'hui, en me rendant à la biblio pour rejoindre Annabelle, j'ai croisé papa et la conseillère en orientation qui venaient dans ma direction.

C'est cette conseillère poche, nommée Laurie, qui m'avait dit que ça ne servait à rien de venir la voir tout de suite parce que j'étais trop jeune. Zéro compétente. Mais là où je veux en venir, c'est qu'elle TOUCHAIT le bras de mon père ! Oui, oui, il a sûrement fait une blague (plate, comme je le connais), car elle a éclaté de rire, puis elle a posé sa main sur son bras ! Papa souriait comme un ado et il ne la lâchait pas des yeux ! Ce qui fait qu'il ne m'a pas vue arriver.

Mais il était hors de question que je le laisse s'en sortir aussi facilement ! Alors je me suis plantée juste devant eux, avec l'air bête et les bras croisés. Papa a stoppé net, mais il ne s'est pas du tout senti obligé de nous présenter. (OK, je la connaissais déjà, mais là n'est pas la question.) Au contraire, il m'a juste demandé si j'avais un problème. Ça ressemblait un peu à ça :

Papa : Ah, Dylane ! Tu... tu voulais me demander quelque chose ? Un problème ?

Moi : Non... aucun problème...

Papa : Bon, alors excuse-moi, mais tu es dans le chemin.

Moi : C'est parce que vous prenez toute la place, toi et...

Papa : Dylane, sois polie.

Moi : Je SUIS polie, papa. C'est juste que tu fais des blagues dans le corridor et tu ne vois pas les gens qui marchent devant toi. Comme moi... Ta fille... genre...

Papa : Hum, hum... Et il y a quelque chose que MA fille aimerait me dire ?

Moi : Euh... non.

Papa : Dans ce cas, tu nous excuseras, Dylane, mais on doit aller travailler.

Moi : Ouais... vous devez orienter des jeunes. Des jeunes qui ne sont pas en secondaire trois.

Laurie (la conseillère) : Oh, ça me fait penser, Dylane. Tu as eu le temps de feuilleter le livret que je t'ai remis ? J'aurais besoin de le ravoir. J'ai un élève de cinquième secondaire qui se pose des questions sur certains programmes et je le lui aurais montré. Si ça ne te dérange pas...

Moi : Ben non, je vais le rapporter. C'est juste que je n'ai pas encore eu le temps de...

Papa : Je te le rapporterai demain, Laurie. Je pourrais passer te voir de bonne heure, si tu veux.

Laurie : Super ! Mais je n'en ai pas besoin avant le dîner.

Papa : Alors qu'est-ce que tu dirais de dîner avec moi !? Ça serait bien. Et on pourrait aller…

Là, leur conversation s'est perdue dans le corridor, car ils venaient de me dépasser et ils continuaient leur chemin comme si je n'existais pas ! En plus, bravo à moi ! Je leur ai donné l'excuse parfaite pour se revoir. Et même pour dîner ensemble !

Bref, tout ça pour dire que je crois que le premier rendez-vous de papa a dû tomber à l'eau parce qu'il *cruise* (oui, oui, il la *cruisait* !) la conseillère en orientation ! De un, elle est beauuuucoup trop jeune pour lui, et de deux, elle est nulle !

Pas question que je le laisse faire sans réagir. Je dois trouver une solution ! Et qui de mieux en ce qui a trait aux relations amoureuses que ma cousine Mirabelle ? Je vais l'appeler tout de suite pour lui demander conseil…

~ 17 h 10 ~

Mira pense que je ne dois surtout pas dénigrer ma nouvelle belle-mère. Sinon, ça ne fera que l'effet inverse, c'est-à-dire que papa va prendre sa défense. OK, je comprends, mais ça ne me dit pas non plus ce que je dois faire pour l'empêcher de sortir avec elle !

Peut-être que si j'en discute avec mes frères…

~ 19 h 23 ~

Florian vient de m'appeler ! Événement ultra rare, ces derniers temps… Et on s'est disputés. Non mais il ne veut rien entendre et il ne me comprend pas du tout ! Je lui ai raconté que papa fréquentait la conseillère en orientation et il a juste dit : « Cool ! »

C'est parce que c'est loin d'être cool ! Je ne veux pas de cette Laurie comme belle-mère ! En fait, si ça ne tenait qu'à moi, je n'en voudrais aucune ! Mais je vois bien que je n'ai pas mon mot à dire dans toute cette histoire. Il me semble que Florian aurait quand même pu prendre pour moi, non ?!

Là, je me suis fâchée, et comme je parlais vite, il ne saisissait rien de ce que je racontais, alors il a haussé le ton et il m'a dit : « *STOP ! Shut up, please !* »

Il m'a dit de me taire ! J'étais tellement fru que je lui ai raccroché au nez ! Il faut que je me calme. Je vais aller faire un tour chez Colin. Lui, au moins, il va sûrement savoir quoi me dire !

~ 21 h 17 ~

Ouin… il est tard, hein? Papa n'est pas content… Je ne dois pas revenir aussi tard les soirs de semaine. C'est parce que je n'arrivais pas à partir de chez Colin. On a jasé une bonne partie de la soirée, enfermés dans sa chambre (on a fermé sa porte pour que son chien ne me rende pas malade). On s'est étendus sur son matelas, côte à côte, et on regardait le plafond en parlant de nos parents. Ceux de Colin sont toujours ensemble (ce qui est plutôt rare, à notre époque), et il m'a dit que ça lui ferait vraiment quelque chose s'ils se séparaient et refaisaient leur vie chacun de leur côté, comme les miens.

Il a dû sentir que j'avais un peu de peine, parce qu'il a cherché ma main et qu'il l'a serrée dans la sienne. Ensuite, on n'a rien dit pendant un long moment.

Ses doigts étaient entrelacés avec les miens et sa peau était chaude et douce. C'était tellement agréable que je n'avais pas le goût de m'en aller. Jusqu'à ce que je me remette à penser à ma dispute avec Florian. Puis, je me suis dit qu'il n'aimerait peut-être pas savoir que Colin et moi, on se tenait par la main, alors je l'ai repoussé d'un coup sec.

Je me suis redressée dans le lit et Colin a fait pareil. Il me regardait sans rien dire et j'ai remarqué qu'il s'était rapproché de moi. Alors, j'ai paniqué... Carrément!

J'ai sauté sur mes deux pieds et je lui ai dit que je devais rentrer, car il était déjà presque neuf heures, avant de me sauver en vitesse. Colin n'a pas eu le temps de me suivre que j'étais déjà dehors, le manteau ouvert et la tuque de travers. J'ai couru jusque chez moi, où papa m'attendait de pied ferme.

Il m'a sermonnée durant au moins quinze minutes avant de me laisser partir. J'ai ouvert mon ordinateur sans savoir quoi faire... J'ai vu que Florian m'avait envoyé un courriel où il s'excusait de m'avoir parlé de la sorte. Quand je parle en français, il ne comprend pas toujours tout et c'est la raison pour laquelle il a réagi comme ça.

Dis-moi, cher journal, selon toi, est-ce que je devrais dire à Florian ce que j'ai fait avec Colin? Ou est-ce que je fais comme si rien n'était arrivé? Après tout, ce n'est pas comme si Colin m'avait embrassée non plus! On s'est juste tenu les mains!

~ 21 h 21 ~

Tu crois que Colin voulait m'embrasser?

Jeudi 22 janvier

~ 7 h 05 ~

Pas vu Colin depuis mardi dernier… Je crois qu'il a recommencé à se sauver de moi…

~ 16 h 01 ~

Il ne se sauvera pas comme ça encore longtemps. Je m'en vais de ce pas chez lui ! On verra bien comment il va réagir.

~ 16 h 57 ~

Cream puff! Il n'était même pas là. Sa mère m'a dit qu'il était parti promener son chien. Mais j'ai eu beau faire le tour du voisinage, pas moyen de le trouver ! Ça devra attendre à demain.

Vendredi 23 janvier

~ 18 h 05 ~

Devine un peu qui est revenu à l'assaut aujourd'hui !?! MALIK !

On était en file pour aller se chercher un repas à la café. C'est plutôt rare que je ne m'apporte pas de lunch, mais ce matin je me suis (encore) levée en retard et je n'ai pas eu le temps de me prendre quoi que ce soit. Papa a accepté de me prêter des sous. Mais il a bien dit de les lui remettre.

Je ne comprends pas ça. C'est sa responsabilité de s'assurer que ses enfants ont quelque chose à manger, non ? Je ne devrais pas avoir à lui redonner son argent… Voici un peu ce qu'il m'a rétorqué :

Moi : Ben là ! Tu veux que je jeûne ???

Papa : Non, mais c'était à toi de penser à te préparer un lunch.

Moi : J'y ai pensé ! C'est juste que…

Papa : On ne reviendra pas sur le fait que l'école commence trop tôt,

Dylane ! Le sujet est clos depuis longtemps, il me semble !

Moi : J'AI RIEN DIT ! Tu me mets des mots dans la bouche !

Papa : Baisse le ton, tu n'es pas dans ta chambre, on est en plein milieu de la cafétéria.

Moi : En tout cas, c'est ton dernier mot ?

Papa : Absolument...

Moi : Bon... alors je vais aussi prendre un autre dix dollars. Comme ça, je pourrai m'acheter quelque chose à boire en revenant de l'école...

Papa : Je t'ai donné tout ce que j'avais. Tu te prépareras un chocolat chaud à la maison, à la place.

Moi : Je ne peux plus en boire ! C'est mauvais pour les dents !

Papa : Tu as bien raison. Tu pourrais essayer un thé chaï, à la place...

Moi : Un thé tchaye ? Et ce n'est pas sucré, ce truc ?

Papa : Non. C'est super bon, ça goûte la cannelle et on en a des tas de sachets, dans la cuisine...

Moi : Ça s'écrit comment ? Je vais faire des recherches sur Internet.

Papa : C-H-A-Ï.

Là-dessus, j'ai tourné les talons et j'ai cessé de l'écouter. Mon ventre grondait honteusement et je ne voulais pas être la dernière à me mettre en file pour m'acheter quelque chose. Je me posais des tas de questions sur ce thé chaï dont m'avait parlé mon père quand Malik s'est glissé derrière moi. Il a murmuré « salut » à mon oreille, ce qui m'a fait sursauter. J'ai failli en échapper les sous que papa venait de me donner.

Quand je me suis tournée vers lui, Malik était tout sourire. Comme s'il avait quelque chose à me demander. Et effectivement, il voulait savoir ce que j'avais prévu pour le week-end…

Ça m'a pris total par surprise, alors j'ai baragouiné que je n'avais rien à l'horaire. Il m'a aussitôt

invitée à aller au cinéma samedi soir. Je me suis dit que ce n'était sûrement pas une bonne idée, mais quelqu'un l'a appelé, au loin, et il est parti sans me laisser le temps de lui répondre. Il a juste ajouté qu'il passerait me prendre vers dix-huit heures trente demain.

Donc, voilà. Je vais aller au cinéma avec Malik. Il va falloir que je mette au clair le fait que nous ne sommes que des amis, par contre. Pas question de faire de peine à Annabelle ! En tout cas, ma petite conversation avec Malik a miraculeusement fait réapparaître Colin, qui s'est pointé à ma table, comme si de rien n'était. Je ne lui avais pas parlé depuis mardi, alors j'étais contente de le voir. Il était curieux de savoir ce que mon ex me voulait et je lui ai parlé de notre sortie au cinéma. Colin était plutôt sceptique face à cette soirée, alors il m'a proposé de venir avec nous.

Je vais donc écrire un courriel à Malik ce soir pour lui demander si Colin peut se joindre à nous. Si vraiment il m'a pardonné, il ne devrait pas être fâché que mon meilleur ami soit là, lui aussi. Enfin… on verra bien.

Et je pourrai aussi en profiter pour inviter Anna…

Samedi 24 janvier

~ 18 h 48 ~

Malik vient de nous lâcher ! Comme il n'arrivait pas chez moi, j'ai fini par me tanner et j'ai décidé de lui téléphoner. Il n'avait pas l'air de très bonne humeur. Il a dit que je riais de lui et que j'avais un cœur de pierre ! UN CŒUR DE PIERRE ! Pfff ! N'importe quoi, *cream puff* !

Il a continué en ajoutant qu'il était hors de question pour lui de se joindre à Colin et moi. Que j'étais idiote si je ne comprenais pas ça ! C'est beau, je comprends ! Pas besoin de se mettre en colère pour ça !! Et il me semble qu'il aurait pu répondre à mon courriel pour me le dire… Mais non, il préfère bouder dans son coin et ne donner aucune nouvelle ! Une chance qu'Anna ne pouvait pas venir, car elle aurait été déçue…

En tout cas, comme j'avais prévu de rejoindre Colin directement au cinéma, je vais le texter pour lui dire que ça tombe à l'eau.

Tant pis pour Malik! Je me demande s'il va vouloir aller au spectacle avec moi…

Mercredi 28 janvier

~ 21 h 37 ~

OMG !!! Cher journal, je croyais que JE T'AVAIS PERDU !!! Ça fait des jours que je fouille ma chambre de fond en comble à ta recherche et ce n'est qu'aujourd'hui que je mets ENFIN la main sur toi !!!

C'est parce que tu avais glissé sous mon lit, la dernière fois que papa m'a demandé de laver mes draps, et tu étais coincé entre mon matelas et la base du lit. J'avais toujours l'impression d'avoir une bosse dans le dos quand je me couchais, mais je n'ai pas fait le lien avant aujourd'hui !

Je suis teeeellement contente de te retrouver, cher journal ! Pas que j'aie tant de trucs à te raconter, c'est juste que, comme tu t'en souviens sûrement, mon rendez-vous chez l'orthodontiste est prévu pour vendredi, cette semaine… ET JE SUIS ULTRA NERVEUSE !!! D'abord, ça ne m'enchante pas du tout de me faire poser des broches dans la bouche ! J'ai peur d'avoir l'air d'un rail de chemin de fer ! Et cette histoire d'arrachage de dents me fait faire des cauchemars…

Je suis si stressée que j'en ai perdu l'appétit. Même ma cousine a mangé plus que moi au dîner. Colin se doute aussi que je ne vais pas très bien, car il passe son temps à me tourner autour, à me demander si j'ai besoin de quelque chose. OUI : D'ANNULER MON RENDEZ-VOUS !!! Mais papa ne veut pas. Il dit qu'il va se serrer la ceinture pendant un temps, mais que j'en ai besoin. Et que je vais le remercier plus tard. Quand je verrai le résultat.

D'ici là, je dois endurer mon malheur. Bref, il me reste seulement DEUX jours avant la grande opération… (OK, j'exagère un peu avec ce terme, mais ça reflète bien ce que je pense de tout cela.)

Jeudi 29 janvier

~ 7 h 23 ~

Oh là là… C'est demain que ma vie va basculer !!!

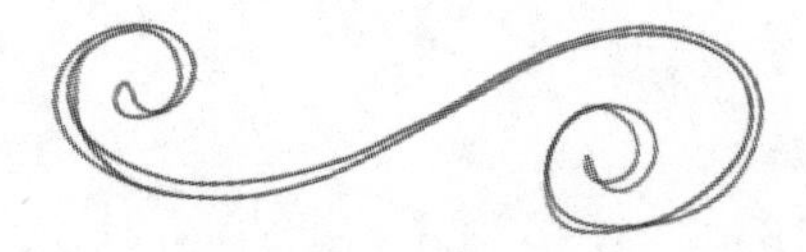

Vendredi 30 janvier

~ 6 h 54 ~

Jamais je ne me suis levée aussi tôt, je crois… C'est que je fais de l'insomnie. On dirait que le cœur va me sortir de la poitrine, tellement il bat vite et fort. Pour passer au travers de ma journée, je vais t'amener avec moi, cher journal. Je dois aller en classe comme si de rien n'était. Mais après les cours, direction l'orthodontiste.

Colin a promis de m'accompagner. Il va me tenir la main sur la table d'opération, si on le lui permet.

~ 6 h 58 ~

Tu crois que j'aurai l'air d'une idiote, la bouche grande ouverte, alors que l'ortho me posera mes broches ? Peut-être que ce n'est pas une bonne idée que Colin voie ça…

~ 12 h 35 ~

La journée passe beaucoup trop vite. On est déjà le midi. Florian m'a envoyé un texto pour me dire qu'il me souhaitait «*Good luck*». Je n'ai pas besoin de chance, j'ai besoin de courage! Il m'a aussi demandé si j'y allais avec quelqu'un, alors je lui ai répondu que Colin m'accompagnerait. Depuis, pas de nouvelles. J'imagine qu'il est rassuré que mon meilleur ami soit là pour moi.

~ 13 h 09 ~

Les cours reprennent dans vingt minutes, environ. Colin a dîné avec moi et Anna. Maintenant, il est reparti jouer au soccer et Anna est allée étudier à la biblio. Je pourrais toujours rejoindre Mira et la gang d'Ariane, mais je préfère texter en cachette dans les toilettes. Il faut que je parle avec Florian. Peut-être qu'il parviendra à me remonter le moral, lui!

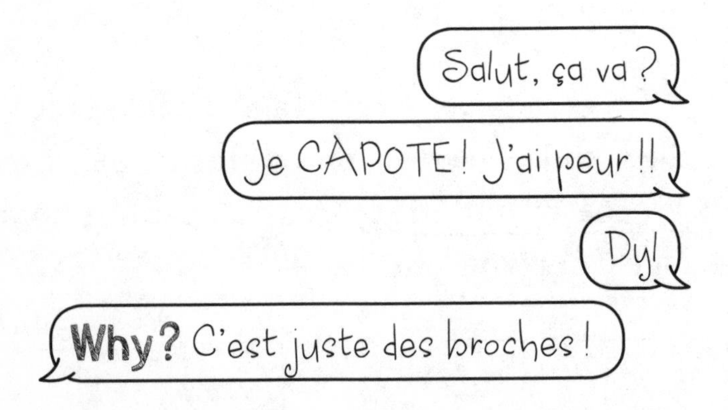

C'est rare qu'il me réponde si vite, lui... Aussi bien en profiter.

Je sais, mais je vais être affreuse !

Never! You're so beautiful!

Tout le temps...

Ooooh, tu es gentil.

Je le pense, **you know.**

T'es un amour.

Tu sais, cette histoire de demi-**chum**, demi-blonde ?

Yes?

Je pense que c'est ridicule et que...

On devrait être vraiment en couple.

Pas à moitié...

Are you sure?

Oui...

Wow ! Je suis trop heureux !

Call me sur Skype ce soir.

Bon, la cloche vient de sonner. J'ai des papillons dans le ventre. Je savais que Florian me remonterait le moral. Je dois te laisser, cher journal. De retour plus tard, une fois que j'aurai mes broches, j'imagine…

~ 16 h 01 ~

Colin et moi, on est dans la salle d'attente. J'ai des tremblements et le seul moyen de me calmer est de t'écrire, cher journal. Colin est parti aux toilettes, alors j'en profite.

JE NE VEUX PAS AVOIR DE BROCHES !!!

Oh non !!! J'entends les pas de quelqu'un, dans le couloir. Ça doit être l'orthodontiste qui vient me chercher. Je capote !!!

~ 16 h 48 ~

Je suis couchée sur une chaise longue, à attendre que l'ortho revienne. Colin a laissé son cell dans son manteau et j'imagine qu'il va jouer à *Candy Crush* pendant toute la pose des broches. En plus, il va devoir rester dans la salle d'attente et ne pourra pas être avec moi, même si j'ai besoin de sa présence. C'est looooong ! Et je ne sais pas ce que l'ortho est parti faire. Il a reçu un coup de fil, je crois.

Je suis toute seule et je ne me sens pas bien… On va bientôt m'arracher des dents…

~ 17 h 32 ~

J'ai d'ÉNORMES trous dans la bouche !!! Et ça faisait un bruit atroce, quand on m'arrachait les dents ! Si tu avais vu la longueur des racines que ça a, une dent, tu n'en reviendrais pas ! J'ai droit à une petite pause, avant l'installation des broches…

Colin est venu me voir quelques minutes, mais il doit retourner dans la salle d'attente. Il doit trouver ça plate. Surtout que son cell n'a plus de batterie. Je lui ai proposé de prendre le mien, dans la poche avant de mon sac à dos.

OH ! ÇA ME FAIT PENSER ! Quand Colin est venu me voir, il rigolait parce qu'il venait de feuilleter une revue et qu'il était tombé sur le courrier sexo. J'ai vraiment failli m'échapper, quand il m'a raconté qu'une certaine Dylane se demandait si elle était une OBSÉDÉE!!! Il trouvait ça très drôle et ça lui avait fait penser à moi. Il a même ajouté :

Colin : C'est trop ton genre de poser des questions du genre !

Moi : Hein ?!? Pfff... N'importe quoi ! Voir si...

Colin : J'ai pas dit que c'était toi, j'ai dit que ça aurait PU être toi.

Moi : Euh, total non ! En tout cas, sors, tu me déconcentres dans ma relaxation, là ! Va donc jouer à **Candy Crush** sur mon cell !

Je suis certaine qu'il se doute de quelque chose, maintenant...

~ 17 h 33 ~

ILS ONT OSÉ RÉPONDRE À MON COURRIEL !

Ne pas oublier de voler subtilement le magazine, dans la salle d'attente, après mon rendez-vous…

~ 18 h 37 ~

Les broches sont installées... Même le fil et les élastiques ont été posés. Je suis dans la salle d'attente. Mon père doit venir me chercher. Je viens de l'appeler. Je renifle sans pouvoir m'arrêter et j'ai mal au cœur.

Colin est resté à m'attendre pendant presque toute l'intervention. Mais il vient de partir. J'ai fait une gaffe…

Enfin, pas moi, mais c'est tout comme. Je n'aurais JAMAIS dû lui permettre d'utiliser mon cellulaire !

Pendant que j'étais étendue sur ma chaise, je l'ai entendu entrer dans la pièce. Il s'est rapproché de moi pour me montrer quelque chose. J'avais des lunettes de soleil pour me protéger les yeux de la lumière de la lampe, alors j'ai dû les retirer. L'orthodontiste n'avait pas l'air très content de le voir arriver, car il le dérangeait dans son travail, mais je lui ai fait signe d'arrêter une minute.

Colin avait mon cellulaire dans les mains et il l'a mis à la hauteur de mes yeux. Alors, j'ai compris pourquoi il était si fâché, soudainement. Sur le cellulaire, je voyais qu'il avait partagé quelques textos avec Florian. Sur MON téléphone. Florian devait penser que c'est à moi qu'il écrivait…

Je te les résume ici.

Alors il a reposé sa question, mais à moi :

COLIN : Depuis combien de temps vous sortez ensemble ?

Et je n'ai pas eu le courage de le lui dire. J'ai gardé le silence, les yeux pleins d'eau. Lui aussi, il avait envie de pleurer, j'en suis sûre. Avant de partir, Colin a ajouté que des vrais amis, ça ne se racontait pas de mensonges. Et que, moi, j'étais loin d'en être une pour lui…

Papa vient d'entrer dans la salle d'attente. Je dois y aller.

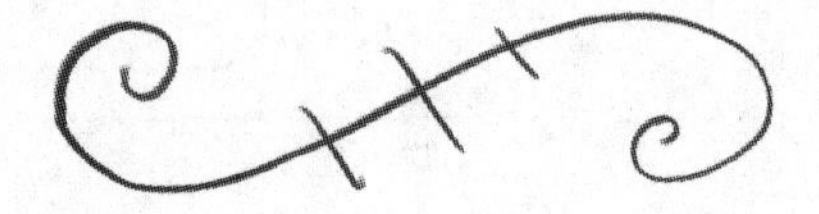

Samedi 31 janvier

~ 8 h 16 ~

Encore une fois, Colin et moi, c'est foutu. Sauf que maintenant, c'est lui qui ne veut plus me parler.

Florian s'est excusé un nombre incalculable de fois. Mais ce n'est pas sa faute, c'est la mienne. J'aurais dû être plus franche avec Colin. J'ai le goût de rester cachée dans ma chambre pour toujours. D'abord parce que j'ai encore une fois perdu mon meilleur ami, mais aussi parce que je suis total affreuse avec mes broches…

Le journal de Dylane

Dans la même collection

Le journal de Dylane

1

Sloche à la framboise bleue

Marilou Addison

ISBN 978-2-89709-057-9